D1488196

MON PÈRE
SUR MES ÉPAULES

DU MÊME AUTEUR

MON CHER JEAN… DE LA CIGALE À LA FRACTURE SOCIALE, essai, Zoé, 1997.

LE MYSTÈRE MACHIAVEL, essai, Zoé, 1999.

NIETZSCHE OU L'INSAISISSABLE CONSOLATION, essai, Zoé, 2000.

LA CHAMBRE DE VINCENT, récit, Zoé, 2002.

VICTORIA-HALL, roman (prix du Premier Roman de Sablet 2004), Pauvert, 2004 ; Babel n° 726.

DERNIÈRE LETTRE À THÉO, roman, Actes Sud, 2005.

L'IMPRÉVISIBLE, roman (prix des Auditeurs de la Radio suisse romande 2007 ; prix des lecteurs FNAC Côte d'Azur 2006), Actes Sud, 2006 ; Babel n° 910.

LA PENSION MARGUERITE, roman (prix Lipp 2006), Actes Sud, 2006 ; Babel n° 823.

LA FILLE DES LOUGANIS, roman (prix Version Femina Virgin Megastore 2007 ; prix Ronsard des lycéens ; prix de l'Office central des bibliothèques 2008), Actes Sud, 2007 ; Babel n° 967

LOIN DES BRAS, roman, Actes Sud, 2009 ; Babel n° 1068.

LE TURQUETTO, roman (prix Jean Giono 2011 ; prix Page des Libraires 2011 ; prix Alberto Benveniste 2011 ; prix Casanova 2011 ; prix Culture et Bibliothèques pour tous), Actes Sud/Leméac, 2011 ; Babel n° 1184.

PRINCE D'ORCHESTRE, roman, Actes Sud/Leméac, 2012 ; Babel n° 1253.

LA CONFRÉRIE DES MOINES VOLANTS, roman, Grasset, 2013 ; Points Seuil, 2014.

JULIETTE DANS SON BAIN, roman, Grasset, 2015 ; Points Seuil, 2016.

L'ENFANT QUI MESURAIT LE MONDE, roman, Grasset, 2016.

METIN ARDITI

MON PÈRE
SUR MES ÉPAULES

BERNARD GRASSET
PARIS

Photo de la jaquette : archives de l'auteur

ISBN : 978-2-246-81319-4

À Gül

« On peut bien rire de moi
Je ferais n'importe quoi
Si tu me le demandais »

Édith PIAF
L'Hymne à l'amour

À la maison, veille de départ

Il y a vingt ans que mon père est mort et je pensais, jusqu'à peu, que nos rapports avaient trouvé une douceur nouvelle, un équilibre. Lorsqu'il apparaissait dans mes rêves, il était bienveillant. Il m'interrogeait avec attention, me souriait, il avait pour moi de l'estime, et je vivais chacune de nos retrouvailles avec un grand bonheur.

De son vivant, nous avions eu des différends, bien sûr. Mais le temps avait passé, et lorsque je repensais à nos rares brouilles, cela ne suscitait que de la tendresse. J'avais eu un père épatant.

Voilà que certains des souvenirs qui me lient à lui ne sont plus tout à fait les mêmes. Oh, rien de brutal, la métamorphose se fait par petites touches, au fil des semaines et des mois. Tel détail m'apparaît plus net, plus cru, plus dur, aussi, tel autre souvenir me déconcerte, je ne le voyais pas comme ça. Et j'admets que certains m'épouvantent. C'est ridicule d'être soudain épouvanté par des souvenirs avec lesquels on a vécu longtemps en harmonie. Et pourtant… Ceux-là me font penser aux morts-vivants des films d'horreur, qui sortent de leur tombe et se mettent à rôder dans les allées du cimetière, le visage dégoulinant de maquillage. Et je comprends que c'est moi qui les ai fardés. J'ai triché.

Un souvenir nous embarrasse ? Faisons en sorte qu'il nous paraisse aimable. Ni une ni deux, on le maquille, on lui colle une barbe et des moustaches. Et une perruque, s'il le faut, on se débrouille, pourvu qu'il ait l'air présentable, qu'il nous soit doux, qu'en pensant à tel ou tel événement qui lui est lié, on puisse se dire : « Comme c'était formidable. »

Au fil des années, j'avais inclus certains de ces épisodes dans l'un ou l'autre de mes romans. Je n'affrontais pas mes souvenirs, je les déplaçais avec astuce, comme un bonimenteur fait ses tours de cartes au coin d'une rue et piège le chaland. De cette petite combine, j'étais à la fois l'escroc et le gogo.

Voilà qu'au hasard d'une lecture, j'apprends qu'il existe sur une île d'Afrique un rite étrange, appelé le *retournement*. Dix ans au moins après la mort du père, ses proches vont consulter une sorte de mage appelé *mpanandro*. Lorsque celui-ci leur annonce que le moment est venu, ils se rendent au cimetière, ouvrent la tombe du défunt et sortent ses restes. Ils les nettoient de la terre qui a remplacé la chair, les lavent comme on lave un fruit, avec des gestes tendres, et lorsque les os sont beaux, ils les déposent sur une natte propre qu'ils roulent et promènent dans le village. Pas question de pleurer, le retournement est une fête, l'occasion d'inviter les amis, de chanter et de danser, de manger les meilleurs mets, du riz à la viande de zébu, bien grasse et très goûteuse. Après la fête, tout le monde reprend le chemin du cimetière. Les os sont remis à leur place, dans leur nouvelle natte. Le mort est désormais un Ancien, un homme de paix à qui l'on peut demander sa bénédiction.

La découverte du retournement m'ouvre les yeux. Je comprends que je dois faire comme les gens de l'île. Ouvrir la tombe de mon père. Regarder ses os. Les retourner un à un, les nettoyer de leur terre et les remettre à leur place.

Ici, ce sont mes souvenirs qui tiennent lieu d'ossements. J'en établis une première liste. Il y a l'internat. L'histoire des noisettes. Celle des tubes. Le lâchage à la synagogue. La vie au Günesh. Le champ de coquelicots. Madamika et le *Notre Père*. L'appel en larmes de Leipzig. Le pavillon américain…

J'en liste une vingtaine que je regroupe selon les émotions qu'ils me procurent. On dirait une classe d'école. Il y a les bons élèves, les moyens, et les franchement insupportables, ceux qu'on a beau expulser vingt fois et qui s'arrangent pour revenir, raccompagnés par le proviseur. Non, non, nous dit le proviseur. Ce petit salopard est à vous. Que vous l'aimiez ou non, il fait partie de votre classe. Débrouillez-vous avec lui.

Alors que je les observe, des bruits me perturbent. Ils viennent du jardin. Je comprends que mes souvenirs ont des cousins éloignés : les événements que l'on a évités… Les sujets que l'on n'a pas abordés, pour ne pas faire de mal, ou par manque de courage, ou simplement par absence d'intelligence. Je les vois qui courent sous le préau. Pour l'instant, tout va bien, mais la cloche sonnera tôt ou tard, il faudra les faire rentrer en classe, et là, plus question de les ignorer.

Bir varmış, bir yokmuş. C'est ainsi qu'en turc débutent les contes pour enfants. Il était une fois, et une fois il n'était pas… Sagesse d'Orient. L'absent est un personnage qu'il est dangereux d'oublier. Comme pour Tülin, la sœur que je n'ai pas connue et dont l'absence a marqué ma vie.

Devant mon bureau se trouve un panneau de bois sur lequel j'ai punaisé des photos qui me sont chères. La première que j'ai placée est celle de Tülin, la seule que j'avais d'elle. Je l'ai punaisée au point d'intersection des diagonales, en plein centre du panneau. Quoi de plus naturel ? La vie de toute notre famille a basculé avec la mort de Tülin : celle de mes parents, mais aussi celle de ma sœur et la mienne, nous qui ne l'avions pas connue. Quelques rares fois, ma mère m'a parlé d'elle.

Toi jamais.

Je veux comprendre, aussi, ce que j'ai fait de ma vie, éclairer mes rapports avec mes propres enfants.

Retrouver ses souvenirs est une opération délicate. Je suis allé à Istanbul, à Büyükada, à Lausanne, à Crans-sur-Sierre... Certains de ces lieux m'ont accueilli avec une joie immense. D'autres m'ont un peu déboussolé, d'autres encore m'ont sidéré. J'étais incrédule devant la capacité que j'ai eue, si souvent, à me défiler devant la vérité. D'autres, enfin, m'ont terrassé.

Il me fallait faire le point. Où trouver la force pour un tel tête-à-tête ? Je pensai à dix endroits différents où nous avions passé du temps ensemble, mon père et moi. Istanbul, bien sûr, les îles des Princes, Lausanne, Crans-sur-Sierre, San Remo... Chaque fois, je m'y voyais agité, fébrile, incapable de faire face.

La semaine dernière, alors que je quittais Crans-sur-Sierre (où mon père avais passé des moments merveilleux au cours de ses dernières années), j'étais dans le petit funiculaire lorsque me vint à l'esprit le nom de Sils-Maria, dans les Grisons.

Sils-Maria... Là où Nietzsche avait eu l'intuition de *L'Éternel Retour du même*, sa loi d'airain : le secret du bonheur est dans la répétition de chaque chose que nous a offerte la vie. Il faut vouloir la revivre, dit Nietzsche, encore et encore, dans chacun de ses événements. Il a donné un autre nom à sa grande idée. *Amor fati.* L'amour du *fatum.* De la destinée.

Je m'interroge : la loi de l'Éternel Retour n'est-elle pas la version savante du retournement ? « Je ne crois qu'à un dieu qui sache danser », disait Nietzsche. Lorsqu'ils déambulent dans les rues du village chargés des os du père, les gens de l'île font-ils autre chose ?

C'est bien à Sils-Maria que je dois aller.

Ni toi ni moi n'y sommes jamais allés, et cela me semble être un motif supplémentaire pour m'y rendre. Un lieu neutre, en quelque sorte, pour une paix des braves.

Arrivé à Genève, je me précipite sur mon ordinateur. Le site internet de Sils montre la photo d'un hôtel à l'ancienne, le Waldhaus, bâti sur les hauteurs, en lisière de forêt. J'imagine ses salons à l'ancienne, des parquets qui craquent, un bar aux fauteuils de vieux cuir… Je m'y vois déjà.

Dans ma hâte de réserver une chambre, je tape là où il ne faut pas, recommence, échoue encore, une fois, deux fois, trois. Rien à faire, je n'y arrive pas.

J'éteins mon ordinateur, déçu et irrité. Quelques instants plus tard, je le rallume, cherche le site du Waldhaus et les appelle. Ils ont une chambre à partir du 27. Je leur demande d'organiser mon transfert de la gare de Saint-Moritz à l'hôtel. « Pourquoi aller jusque-là ? » me demande le concierge. « Venez en voiture depuis Coire, c'est bien plus rapide. »

Je m'en remets à lui.

27 juillet 2016, 9 h 15

Dans le train, au départ de Genève

Hier soir, je me suis demandé quels habits je porterais pour aller à Sils-Maria. On annonce du froid et des orages. Ce sera un jean, des baskets et une épaisse veste de cuir. Ce matin, l'idée d'un tel accoutrement me semble soudain impossible. Qu'en aurait pensé mon père ? En jean au Waldhaus ?

Il y a vingt ans que tu es mort, et lorsque je me projette devant toi, j'ai des angoisses de petit garçon.

J'ai choisi un vieux pantalon de gabardine beige, trop large mais bien dans la note, un blazer bleu et des chaussures de marche. De quoi descendre au restaurant de l'hôtel la tête haute. *Kopf hoch.*

Tu me disais souvent ces mots, en allemand, pour que l'expression garde toute sa force.

J'ai réservé en demi-pension. Je m'y vois déjà, au Waldhaus. Même table chaque soir, rond de serviette placé à côté de l'assiette et bouteille d'eau minérale entamée la veille. Avant de m'asseoir j'aurai un petit geste de la tête en direction des voisins déjà attablés. Ils me souriront, je répondrai à leur sourire, et tout se passera comme lorsque j'étais enfant et que je partais en vacances avec ma mère, des épisodes dont je garde le souvenir le plus doux. Les hôtels étaient plus simples que de nos jours. Les chambres étaient petites, beaucoup n'avaient pas de salle de bains, mais elles étaient plus abordables et les familles y venaient pour de plus longues périodes. On se retrouvait, année après année, il y avait des salons confortables, aujourd'hui réservés à des réunions d'entreprise. Chacun s'y installait, qui avec son livre, qui en famille, on se saluait, des amitiés se nouaient.

Je profite du long voyage en train jusqu'à Zurich pour mettre sur papier mes souvenirs d'Istanbul. Pas besoin d'être dans l'ambiance de Sils pour cela, mes sept premières années remontent en surface dans une douceur tranquille. Elles me ramènent au Günesh, l'immeuble que nous habitions place Téshvikiyé, à Matchka. Place Téshvikiyé, c'est-à-dire *place de l'Encouragement…*

Notre quartier me semblait immuable. Le boucher installé en face de la maison, devant la station de taxis, le *berber* (le coiffeur, en turc), un petit maigre à moustache, toujours agité, qui travaillait dans un demi-sous-sol, à gauche en sortant de chez nous, et même le mendiant unijambiste qui avait établi ses quartiers entre notre porte d'entrée et celle du *berber*, à qui Madamika apportait chaque jour à manger, chacun me semblait être là pour toujours.

J'ai retrouvé le Günesh. La famille qui en était propriétaire à l'époque habite toujours l'immeuble. L'adolescente du deuxième étage en est désormais la doyenne. Son prénom est Tülay. Elle occupe le cinquième, là où nous vivions.

Le concierge fait les présentations. *Tülay Hanoum*[1] se souvient de tout. « Une belle dame blonde ! » me dit-elle en parlant de maman. Son appartement me rappelle le nôtre. Pas de triche. Pas d'effets faciles. Meublé bourgeois solide. Au milieu du salon, une table marquetée semble identique à celle que nous avions au même endroit. Je retrouve le long corridor, la salle à manger, la cuisine, la chambre des parents, celle que je partageais avec ma sœur, et à côté, celle de Madamika. La vie était merveilleuse au Günesh.

La maison tournait autour de toi. C'était « Papa a dit. Papa a fait. Papa dirait ceci ou cela. Il serait content, ou pas content du tout.

---

1 Madame Tülay, selon l'habitude turque.

Papa est extraordinaire. Papa est unique. Papa papa papa… »

Je voyais très peu mon père, et j'aimais infiniment cette rareté. Elle me convenait. C'était la marque de sa grandeur. La place du héros n'est pas à la maison.

Tôt le matin, à l'exception des dimanches, il était rasé de près, propre à l'excès, habillé avec soin, cravaté…

Je me souviens de ta lotion après-rasage. Elle avait pour nom Pitralon et dégageait un parfum puissant de citron et de mandarine, qui m'enivrait et me rassurait.

Chaque matin, au moment où il m'embrassait, je cherchais ce parfum dans les plis de son cou. Plus tard, lorsque j'ai commencé à me raser, j'ai essayé le Pitralon. Il me brûlait la peau et j'en ai conçu un sentiment d'admiration accru pour lui qui s'en aspergeait abondamment chaque matin.

Mon père sur mes épaules

*Tu quittais la maison aux premières heures
et rentrais tard, nimbé de tes triomphes. Tes
affaires se développaient à grande vitesse. Tout
le monde t'admirait, nous le savions.*

Plus tard, j'allais comprendre pourquoi
nous étions si heureux. Nous devions ce sentiment à sa sagesse. À aucun moment, pas
une seule fois, nous n'avons pensé que les
choses pourraient mal tourner. Il maîtrisait
les situations. Il gagnait, donne après donne,
partie après partie, et en retirait une sérénité
qui imprégnait nos vies. Nous n'avions rien
à craindre. Il était là.

Ses départs pour l'Europe étaient des
moments de déchirement et de fierté. Nous
l'accompagnions sur le palier d'étage (je l'ai
retrouvé tel quel lors de ma visite : ascenseur
à droite à peine on quittait l'appartement et
sol recouvert du même carrelage aux motifs
noirs et blancs).

*Tu ouvrais la porte de l'ascenseur et maman
versait le contenu d'un verre d'eau d'un*

mouvement vif et précis, à ras le sol, afin que l'eau aille aussi loin que possible.

C'était le geste qui accompagnait le voyageur et lui souhaitait bonne mer, une tradition d'Orient. Plus tard, à l'internat, en cours de littérature, les récits du départ des croisés me faisaient chaque fois penser aux séparations sur le palier du Günesh. Le héros porteur de tous les espoirs partait à l'aventure. Notre protecteur s'en allait vers de nouvelles conquêtes, mais c'était pour notre bien. Ma mère se mettait à pleurer, chaque fois.

Et puis il y avait Madamika, comme nous avions surnommé notre gouvernante, Marie Ekmektchi[1], une Autrichienne veuve d'un Arménien. Comme beaucoup d'étrangers nés en Turquie, elle était francophone. L'époque de l'Alliance française et de ses années d'or…

Au début, nous l'appelions « Mademoiselle », tu t'en souviens ? C'est ainsi qu'on

---

1 Boulanger, en turc.

s'adressait aux gouvernantes francophones dans les familles bourgeoises d'Istanbul. Le mot la gênait : elle avait la cinquantaine, elle était mère d'une fille déjà adulte…

Tu avais tranché : « Les enfants vous appelleront Madame. » J'avais lancé « Madamika ! », un diminutif à l'espagnol, la langue que me parlait maman. C'était resté.

Madamika était catholique et très pieuse. Un dimanche matin, je devais avoir trois ans, quatre au plus, elle demanda à mon père l'autorisation d'aller à la messe. « Mais que faire des enfants ? » L'idée que ma mère et lui s'occupent de ma sœur et moi n'était pas même envisageable. Les enfants devaient rester à leur place. « Prenez-les avec », avait répondu mon père à Madamika, un peu parce qu'il fallait nous caser, un peu parce que nous étions une famille aussi laïque qu'on pouvait l'être. Je ne me souviens pas d'avoir été une seule fois à la synagogue, ni d'un seul repas à l'occasion d'une fête juive (alors que nous allions

fêter chaque Noël chez des amis chrétiens…).
Nous voici donc Gül et moi à l'église en compagnie de notre Madamika. Nous allions y retourner dimanche après dimanche.

Arriva ce qui devait arriver. Un beau jour, au retour de la messe, nous lui demandons de nous apprendre « la prière catholique ».

Jusque là, les soirs où mon père était de retour à la maison avant que je ne dorme, il me faisait réciter le Shéma Israël. *Il posait tendrement sa main sur mes cheveux, disait la prière à haute voix, et Gül et moi reprenions après lui.*

Il avait appris la prière de son père. Mais il ne connaissait pas le sens des mots hébreux et sa pratique de la religion s'arrêtait à cette récitation.

Madamika refusa net : « Que dirait votre père ? » C'était un dimanche, mon père était à la maison. « Allons lui demander ! » Je nous revois partis à la queue leu leu, Madamika,

Gül et moi, dans le long couloir qui menait à la petite pièce adjacente au salon, celle où il « faisait les timbres », comme disait ma mère avec vénération. Sa collection était constituée de timbres turcs, surtout, dont il avait presque tous les premiers exemplaires, et il s'en occupait avec le soin et la précision qu'il mettait en chaque chose.

Madamika expliqua ce qui nous amenait. Dans son immense sagesse, il lui répondit par ces mots merveilleux : « Récitez-moi la prière. » Elle s'exécuta : « Notre Père qui êtes au cieux… » et ainsi jusqu'au bout.

Mon père écouta la prière avec grande attention et conclut : « C'est très bien. »

Je me souviens avec précision des sentiments qui m'envahirent au moment où tu prononças ces mots. Je t'admirai infiniment. J'étais un enfant très jeune, mais je comprenais que ce que tu venais de dire était exceptionnel.

Je crois qu'à cet instant précis je découvris

le bonheur d'admirer (plus tard, je me dis souvent que je devais lui rappeler cet épisode, dire combien il avait compté dans ma vie. Mais je ne le fis pas).

Le *Notre Père* fit dès lors partie de nos habitudes, et lorsque mon père rentrait assez tôt du travail, Gül et moi récitions deux prières, celle des catholiques et le *Shéma Israël* des juifs.

Le train longe le lac de Bienne, et quelques lignes d'une dictée me reviennent en mémoire, que j'avais dû récrire je ne sais combien de fois, un texte de Rousseau qui commençait ainsi : « Les rives du lac de Bienne sont plus sauvages et plus romantiques que celles du lac de Genève. » Notre professeur de français s'appelait Mademoiselle Meyer, c'est à elle qu'il avait confié la tâche de me préparer à ma Bar-Mitzvah.

Durant toute ma petite enfance, tu te montras avec moi d'une tendresse constante. Je me souviens des dimanches matin. Au réveil, je venais dans votre lit « faire la lutte ». C'était le seul instant de la semaine où tu n'étais pas rasé. Je disais, en frottant ma joue contre la tienne : « Tu as des piquants », et chaque dimanche maman et toi attendiez ce petit mot avec impatience, au point, s'il ne venait pas, de le provoquer par une question. Au moment de la lutte, maman, toujours dans une chemise de nuit pastel, se mettait de côté, allongée sur le flanc, et nous regardait lutter, les yeux brillants. Belle et blonde, un peu forte à l'époque, mais imposante, vêtue de soie ou de satin, elle avait des allures de reine. Elle t'admirait en épouse d'Orient. Sa règle de vie se résumait à ce commandement : ton mari tu vénéreras.

Plus tard, lorsque Gül et moi étions adolescents, elle avait déclaré de façon péremptoire que selon les circonstances, un homme avait le droit de tromper sa femme. C'était dans l'ordre des choses.

La lutte se déroulait sur le lit des parents et consistait à immobiliser l'adversaire en s'asseyant à califourchon sur son ventre, les mains appuyées sur ses épaules. Mon père se prêtait au jeu avec délice, de cela je suis certain. Était-ce parce que l'exercice participait de mon éducation ? Qu'il anticipait les onze années d'internat qui m'attendaient, afin de faire de moi « un homme » ? Lorsque le jeu prenait fin, je déchiffrais avec lui la dernière page du *Cumhuriyet* (La République). Elle avait pour titre *Ister inan, ister inanma* (Si tu veux, tu le crois, sinon ne le crois pas), et présentait une demi-douzaine de dessins criards, du genre femme à barbe ou bœuf à deux têtes. Nous discutions avec sérieux de savoir lequel était vrai et lequel ne l'était pas, avant qu'on ne me remette à Madamika. Ces instants me comblaient.

J'écris ces mots et d'autres souvenirs d'Istanbul remontent, tous tendres et moirés. J'ai encore dans l'oreille les bruits des vendeurs ambulants qui criaient leur métier à tue-tête : « *Djamdji ! Soudjou ! Eskidji !*[1] » Et les langues, aussi, la gerbe de langues dans lesquelles nous vivions. À la maison, on parlait turc, français, allemand, grec, ladino… Et dans la rue, le russe, l'arménien, l'anglais… Nous avions l'habitude de mélanger des mots de deux ou même de trois langues dans une même phrase. Je vais chez le kassap, ijo mio preciado[2].

Chaque fois que je pense aux échanges qu'avait ma mère avec ses frères et sœurs, je fonds. Alors que j'écris ces lignes, je tente de m'expliquer cette sensibilité sans frein. Le souvenir de l'enfance y est sans doute pour quelque chose, la mélodie du ladino, aussi, l'ancien castillan si tendre à l'oreille, où *ijo* se prononce ijo, comme il le serait en français, et non *iho* (ou même *ihho*, très râpeux, comme en espagnol

---

1 Vitrier ! Vendeur d'eau potable ! Vendeur de vieilleries !
2 Je vais chez le (en français) boucher (en turc), mon fils adoré (en ladino).

d'aujourd'hui). Mais il y avait surtout la douceur des visages. La famille de ma mère venait d'Ankara. Elle et ses frères et sœurs étaient tous nés avant la révolution kéma-lienne, c'est-à-dire avant que la République ne fasse d'Ankara – mieux protégée des invasions étrangères qu'Istanbul – la capi-tale de la Turquie. Les ancêtres de ma mère, les Albuquerque (dont le patronyme s'est transformé en Albukrek, au fil des généra-tions nées en Turquie) étaient originaires d'Espagne. Depuis des siècles, la famille habitait Ankara, un bourg au sein duquel le quartier arméno-juif était à peine une enclave. Ma grand-mère était analphabète. Elle ne parlait que le ladino. Lorsque après la guerre, la famille de ma mère était venue habiter Istanbul, ses membres étaient mar-qués par la peur d'avoir vécu dans un coin du pays certes bienveillant mais peu pré-visible. Ils en portaient le poids sur leur sourire, doux et humble. Leur manière de rire, même, était retenue. Chaque fois que je pense à eux, je suis inondé de tendresse.

Pour des raisons que je ne connaîtrai jamais, ma mère parlait un turc étincelant. Ce n'était pas du tout la norme à la fin des années trente. Elle nous racontait avec une immense fierté un épisode de sa vie de jeune épouse. À l'époque, mes parents habitaient encore Ankara, et ma mère s'était rendue à la municipalité pour régler un problème administratif. Un fonctionnaire la reçoit, ils entament leur discussion, puis très vite le fonctionnaire interrompt ma mère : « Désolé, Madame, il doit y avoir erreur, car là j'attends une Madame Rachel Arditi. » « C'est moi », lui répond ma mère. Bien sûr, elle aurait pu s'appeler Arditi, être musulmane et avoir épousé un Juif. Mais son prénom était Rachel, et il n'y avait aucun doute quant à son origine. « Alors le fonctionnaire a quitté sa chaise », racontait souvent ma mère, toujours avec émotion, « il s'est approché de moi, il m'a félicitée, et il a dit que le pays serait meilleur s'il y avait plus de personnes comme moi. » Forcément, j'ai gardé pour le turc un amour proche de celui que lui réservait ma mère. Dire que cette langue est merveilleuse serait dire peu. Elle est sublime de musicalité, de poésie, et de subtilité tout orientale. Il y a en turc une forme de conjugaison qui n'existe dans aucune autre langue, qui se termine par « ish », par exemple (il y a plusieurs suffixes possibles). Pour « il est parti », on dit : « gitti ». Si l'on dit : « gitmiş » (avec "s" cédille, prononcé ghitmish), cela veut dire, non pas « il serait parti », mais : « le bruit court qu'il serait parti ». Insaisissable Orient...

Mon père et Madamika, qui était autrichienne, parlaient entre eux l'allemand, et le personnel, souvent grec, apportait à la maison une cinquième langue que mon père parlait bien et que ma mère saisissait, langue merveilleuse elle aussi, douce à l'oreille autant qu'une langue peut l'être.

J'aimais infiniment les occasions où l'on m'amenait au bureau de mon père, rue Mertebani.

J'ai devant moi l'image de ses collaborateurs, Grecs, Turcs, Arméniens, Autrichiens,

Juifs. Tous l'adulaient. Ils étaient fiers de l'avoir comme patron.

Lorsque Moustafa, le chef-vendeur, me parlait de toi, il disait : Papa Bey, Monsieur Papa, et tu étais très fier de l'admiration sans borne qu'il avait pour toi.

D'autres images encore me viennent à l'esprit, qui toutes racontent la même histoire : ma vie d'enfant était d'une infinie douceur dans une Istanbul de conte de fées. Je me souviens des portefaix autour du *Kapali tcharshi*[1], chargés plus que des mulets, et qui se faufilaient entre les voitures en les frôlant, chaque fois un miracle. Dans les cafés du bord de mer, on servait le narguilé. Au Parc, à Taksim, un orchestre accompagnait un chanteur qui en faisait des tonnes sur des airs latino (des années plus tard, lorsqu'un jour ma mère m'amena au Châtelet voir une opérette de Francis Lopez, je retrouvai des effluves d'Istanbul).

---

1 Bazar couvert (le Grand Bazar).

Partout, des bruits rassurants, de la douceur, du bien-être.

Bien sûr, tout le monde se plaignait. Istanbul était une ville si sale, si désorganisée... On n'entendait qu'un seul mot : *Avroupa, Avroupa*[1]... Il n'y en avait que pour elle, la Suisse et Lausanne, là où tout le monde était travailleur, honnête et raffiné... Les disparités sociales étaient là depuis toujours, mais personne ne les remettait en cause. Le monde était ainsi fait depuis toujours. Il y avait les riches et les pauvres.

La famille de ma mère était issue de la très petite bourgeoisie juive d'Ankara, et chacun de ses membres parlait à mon père avec déférence. Cela aussi me plaisait infiniment. Il était leur héros et maman leur fierté, la personne le plus chanceuse au monde de l'avoir épousé.

---

1 L'Europe.

Je me souviens des petits rituels qui rythmaient la vie de la maison : la lessive du jeudi, ma mère et sa couturière qui s'installaient dans sa chambre des après-midi entières, à coudre, bavarder, passer des robes et siroter des cafés à n'en plus finir. Ma mère les aimait très corsés et très sucrés (plus tard, en Europe, elle ne trouverait jamais un café à son goût. « C'est de l'eau coloriée ! »).

Certains jours, je la voyais soudain fondre en larmes. La couturière se mettait elle aussi à pleurer, et bien sûr je ne comprenais rien à ce qui se passait. *Ne var, annedjim*, qu'y a-t-il, ma petite maman ? Des histoires de grandes personnes… J'acceptais sans rechigner. Tout ce que je voyais autour de moi m'était si bienfaisant, pourquoi en savoir plus ?

Je sais aujourd'hui que c'est la perte de Tülin que ma mère pleurait. Tülin morte à deux ans, avant la naissance de ma sœur et la mienne.

Tülin dont tu ne m'as jamais parlé. Pas une seule fois.

Pour épargner ma sœur et moi du malheur qui les avait frappés, mes parents avaient décidé de l'enfouir. Mais il était bien trop grand pour être ainsi scotomisé. La mort de Tülin n'a cessé de marquer nos vies.

Chaque été durant trois mois, nous déménagions à Büyükada, l'île des Princes. Nous nous installions à l'hôtel Akasya, tenu par Monsieur Nikos, un Grec toujours énervé qui répétait à longueur de journée, en français et de sa voix nasillarde, qu'il faisait tout ce qu'il pouvait en vue de « satisfaire la clientèle »… Madamika était des nôtres, bien sûr. Elle s'occupait de moi avec une tendresse de chaque instant. J'ai retrouvé une photo prise sur l'île, qui nous montre assis côte à côte au pied d'un pin. Au dos, elle a écrit ces mots : *Les deux inséparables dans les bois.* Son écriture est à son image, petite, ronde et gracieuse. Hadji Bekir, le confiseur des meilleurs loukoums d'Istanbul, avait à Büyükada une maison somptueuse, et surtout une calèche à lui – c'était rare – tirée par deux chevaux énormes, noir ébène. Bizarrement, de cela aussi je tirais une fierté. Le monde était beau et riche, solide et bienveillant, incarné par un attelage dont l'opulence et la majesté rejaillissaient sur tous.

Les journées sur l'île étaient faites de promenades à dos d'âne, de baignades sur des plages à peine équipées, et des repas pris avec Madamika dans la petite salle à manger rassurante de l'hôtel Akasya. De temps à autre, un tour en calèche venait récompenser notre sagesse. La bourgeoisie juive d'Istanbul se retrouvait à un « Club » adjacent à l'hôtel. Tout le monde connaissait tout le monde, les hommes jouaient au poker, les femmes bavardaient… Lorsque je pense à ces étés, je me dis qu'il ne pouvait pas y avoir de vie plus heureuse.

Une drôle d'histoire me rappelle combien j'ai vécu une enfance choyée. Après la mort de Tülin, ma mère se jugeait indigne d'élever un enfant. À l'age de la poussette, elle m'avait confié à une jeune fille du nom de Nazmiyé, qui s'occupait de moi du matin au soir et du soir au matin. Quelques années plus tard, ma mère me racontait ses retours en larmes du parc, où les autres gouvernantes disait de moi : *Büyümüsh ve kütchülmüsh*. Il a vieilli et il a rapetissé. J'avais donc eu, bébé, une tête de vieillard. Par les pleurs de Nazmiyé, je comprenais qu'elle aussi m'avait aimé autant que si l'on m'avait sorti de ses entrailles, et cela me plongeait dans un bonheur sans fin. Qu'importait que j'aie eu l'air d'un vieillard au visage ratatiné. J'étais adoré de tous.

Un épisode encore me revient en mémoire, différent de tous mes autres souvenirs, le plus fort d'entre tous. Il me renvoie à un endroit où nous n'allions jamais, un champ de coquelicots situé Dieu sait où dans la banlieue d'Istanbul.

Nous n'étions que tous les deux, personne de la famille ne nous accompagnait, ni même Madamika, et je me souviens du bonheur que je ressentais à être seul avec toi. J'avais les jambes couvertes de furoncles sur lesquels Madamika avait posé de petits carrés de gaze, tenus par des croix de dermaplast. J'étais fatigué, et tu m'avais pris sur tes épaules.

Il n'y avait que nous et un homme accompagné d'une petite fille, et je compris à ses habits que c'était un homme du peuple. Il régnait dans ce champ de coquelicots un bonheur d'un dépouillement absolu. J'aimai infiniment la présence de cet homme et de la petite fille. Elle avait des cheveux noirs bouclés et le nez pointu. Ils étaient silencieux, comme nous, et je ressentis à cet instant une proximité à mon père que je n'ai jamais retrouvée.

J'étais très petit, pourtant j'avais pleine conscience du bonheur que je vivais. Je me le racontais. Je me disais : comme c'est bien, ici.

J'étais au paradis.

Le souvenir des coquelicots ne m'a pas lâché. Je l'ai placé au cœur de mon roman *L'enfant qui mesurait le monde*. Et j'ai accroché à Genève, dans la petite pièce où j'écris, deux tableaux que l'on m'a offerts et qui tous deux représentent des coquelicots. Ils sont sans prétention, simples comme les instants de ce jour-là, passés seul avec mon père. C'est dire s'ils sont beaux. Plus tard, aussi, les coquelicots furent de retour, comme par miracle, le jour de sa mort.

Le train entre en gare de Zurich, où je prendrai une correspondance pour Coire. De là, un taxi me conduira à Sils. C'est beaucoup plus court que de faire le reste du trajet en train, m'a dit le préposé aux réservations du Waldhaus.

Je continuerai d'écrire à l'hôtel ce soir tard, sinon demain matin.

28 juillet 2016, 8 h 35

Sur le balcon de ma chambre, à l'hôtel Waldhaus

Tu ne vas pas croire ce qui m'arrive.

Pourtant, il me semble que c'est la plus naturelle des choses. Que ce voyage ne pouvait pas se dérouler autrement.

Hier, à la gare de Coire, je trouve le taxi, et nous voilà partis pour l'hôtel Waldhaus.

Après une heure de trajet, le taxi prend une sortie indiquée « Flims ». La chose me paraît étrange, car la route sur laquelle la voiture s'engage n'est pas une déviation d'autoroute, plutôt une rue de village. Quelques instants plus tard, le taxi s'arrête devant un grand bâtiment marqué hôtel Waldhaus. Je suis éberlué. Où sommes-nous ? À Flims, me dit le chauffeur. À Flims ? Je lui demande de ne pas bouger, rentre à l'hôtel et m'approche de la réceptionniste. Elle ne parle pas français. « I booked at the Waldhaus in Sils-Maria. » « Non, me répond la jeune fille d'un air tranquille. You booked here, Hotel Waldhaus in Flims. »

Flims est une station de montagne des Grisons, comme Sils. Et Waldhaus veut dire « maison de la forêt », rien d'étonnant à ce qu'on y trouve un hôtel ainsi nommé. Mais Flims n'est pas Sils…

Sils-Maria est à plus d'une heure en voiture. Il est déjà nuit, pas question d'y aller ce soir. Le temps de signer ma fiche d'entrée, je me dirige vers ma chambre, dépité par tant de bêtise. Mais je suis encore dans le couloir qu'une réalité me frappe comme une gifle.

Cet hôtel Waldhaus de Flims, mon père m'en avait parlé cent fois ! C'est ici que, chaque été, la maison Mettler, le fabricant de balances analytiques, invitait ses représentants internationaux !

Mon père importait leurs instruments en Turquie.

Chaque été tu venais passer quelques jours au Waldhaus de Flims ! Tu adorais cet endroit !

Mon erreur n'était donc pas le fruit du hasard. Il y avait autre chose.

Tu as corrigé mon itinéraire. Pas question d'aller à Sils faire l'intéressant. Ou le touriste. Ou le philosophe poseur. Ou l'écrivain. Je voulais écrire ? Parfait ! Alors il convenait que j'aille à ta recherche. Pas à celle de Nietzsche ou de je ne sais quelle coutume africaine, en prenant la posture avantageuse du philosophe. De tout ça, je l'ai compris, tu n'as rien à faire. Ici, c'est de toi qu'il s'agit. Tu restes mon père et c'est toi qui commandes. C'était au Waldhaus de Flims qu'il convenait d'aller, et tu y as mis bon ordre.

Je passe une nuit de sommeil triste. Mais à l'heure du petit déjeuner, sur la terrasse de ma chambre, l'atmosphère change. Je découvre Flims à la lumière du jour, éclatante, revigorante. Tout est vert et ordonné. Les jardins de l'hôtel sont manucurés. En contrebas, un chalet de bois beige clair, très orné, ressemble à un décor de cinéma.

Que faire du carambolage de la veille ? L'idée d'aller à Sils-Maria me traverse l'esprit. Je l'abandonne vite. Je dois rester là où mon père a voulu que je sois, et poursuivre l'écriture.

L'air est frais, c'est encore celui du petit matin. Il m'aide à aborder le premier des souvenirs difficiles, à la frontière entre l'immense bonheur de la petite enfance et le placement en internat.

Fallait-il m'expédier à deux mille kilomètres d'Istanbul, dans un collège où, durant onze années, en plus des mois d'école, j'allais passer les vacances de Noël, de Pâques, et la moitié des vacances d'été ? Il m'arrivait sans doute d'être *yaramaz* (turbulent), d'accord. Mais je n'étais pas invivable. Madamika était là pour canaliser mes bêtises. La mesure était disproportionnée.

N'y avait-il pas, chez toi, une parcelle de tendresse qui aurait pu te faire penser : « Mon fils n'a que sept ans, je le garde près de moi » ? Et maman, dont on me séparait ? Malgré toute l'admiration qu'elle te portait, n'avait-elle pas son mot à dire ?

Des années plus tard, ma mère m'a dit un jour combien elle s'était sentie coupable de la mort de Tülin. Au dos de la petite photo que j'ai trouvée dans ses papiers après sa mort et que j'ai punaisée, j'ai reconnu son écriture qui a jeté ces mots, dont la nudité dit l'immense colère : *Encéphalite virale*. Rien d'autre. « Si la pénicilline avait existé, elle aurait été sauvée. » Pourtant elle était forte, Tülin. « La plus réussie de vous trois », nous a dit un soir ma mère, je devais avoir quinze ans, Gül dix-sept. Des mots que nous avions encaissés comme un coup de poing dans l'estomac.

Se sentant coupable de la mort de Tülin, elle s'estimait incapable d'élever seule ses enfants. Autant me confier à un internat dont c'était le métier. Mais la décision venait de mon père, bien sûr. Comment pouvait-il en être autrement ?

Le règlement de l'école précisait : sept ans révolus. Vous n'avez pas perdu de temps.

J'avais mon anniversaire le 2 février, un vendredi. Le samedi, j'étais dans l'avion avec ma mère, et le lundi, casé à l'internat. J'allais y rester jusqu'à mes dix-huit ans.

Mon père avait le souci que je devienne « un homme », et sans doute cela justifiait-il à ses yeux toutes les distances qu'il prenait avec moi. Je les recevais comme autant de preuves d'amour. L'école, la séparation, les dépenses engendrées, tout cela représentait des sacrifices auxquels lui et ma mère consentaient « pour mon bien ».

J'étais détaché de la maison, radicalement. Les contacts étaient difficiles. On ne téléphonait jamais. Mon seul lien avec mes parents était la lettre hebdomadaire que je recevais au courrier du samedi midi, quelques lignes de mon père tapées à la machine dont le seul sujet, oui, le seul, était invariablement mes résultats scolaires.

Tu ne pensais qu'à mes notes, et moi, je ne pensais pas à vous.

J'avais le sentiment de « remplir mon contrat » en étant bon élève. Je me rends compte que jamais, pas une seule fois, durant toutes ces années, je ne me suis demandé ce que faisaient mes parents, où ils étaient. Je ne savais rien de leurs soucis, de leurs anniversaires, de leurs amis, de la vie de famille.

Un jour que tu me rendais visite à Lausanne, nous nous dirigions vers le Cinéac, place

51

*Saint-François. Tu m'avais annoncé, un peu par hasard, que le père de maman était mort :
« Comment, tu n'étais pas au courant ? »*

J'étais moi-même tombé dans un détachement atroce dont je prends conscience en écrivant ces mots. Je crois bien que mes parents ne me manquaient pas.

Aux longs trimestres de cours succédait le temps des vacances.

Ne t'es-tu jamais interrogé sur la manière dont je les vivais ?

Nous n'étions plus qu'une poignée à rester à l'école. Les internes profonds… À la Toussaint, à Noël, à Pâques, nous rôdions dans un bâtiment vide, désœuvrés, hébétés, perdus, à attendre que les jours passent, cherchant à faire face à ce qui semblait être de l'ennui. En réalité, il s'agissait d'une angoisse profonde. Nous ne savions pas qui nous étions, encore moins ce que nous étions pour nos parents. Plus que jamais solidaires entre nous, nous nous accrochions avec férocité à la seule idée qui nous permettait de tenir : nos parents nous laissaient là pour notre bien.

Ces périodes de vacances passées en internat étaient celles où nous étions le plus malmenés par les professeurs de service, frustrés eux aussi de se trouver là et flairant à plein nez notre vulnérabilité. Durant l'année, nous nous montrions souvent impertinents. Voilà que l'occasion leur était offerte de régler quelques comptes. Si nos parents nous abandonnaient à ce point, c'est qu'ils n'allaient pas voler à notre secours à la moindre injustice. En plus, le temps qu'ils soient mis au courant, la révolte se serait dissipée. Du coup, les punitions prenaient un tour ubuesque.

Dès ma première année d'internat, les deux mois de vacances d'été ont suivi un même protocole : juillet à l'internat puis un mois avec maman dans un bel hôtel, où j'allais connaître les plus doux moments de mon enfance. Mais il y avait d'abord l'internat… J'avais sept ans et trois jours lorsque je suis entré en internat. Je passai juillet de mon premier été helvétique dans un home d'enfants, à Chesières, près de Villars-sur-Ollon. Le directeur de l'école m'avait accompagné jusqu'à Bex et placé dans un train de montagne avant de repartir. Sans doute m'avait-il dit que je devais attendre le dernier arrêt, mais, pris par une peur épouvantable, je n'avais rien compris, rien entendu, et me retrouvai dans le wagon, terrorisé, ne sachant ni où j'allais, ni ce qui allait se passer, ni même ce que j'allais devenir. Je demandai à plusieurs personnes quand je devais descendre pour Chesières. Plus tard. Oui, mais quand ? Surtout, le train n'allait pas jusqu'à Chesières… Finalement, je restai dans le wagon jusqu'à la gare de Villars, où une petite délégation du home d'enfants (qui s'appelait *Les Mioches*) était venue me chercher. Je revois leurs sourires, j'étais fou de joie. J'ai « placé » le home d'enfants dans *Loin des bras*, mais sans parler de l'épisode du train, encore enfoui dans ma mémoire. Il n'est ressorti qu'à la quatrième ou cinquième réécriture de ces lignes.

À l'âge de dix ans, j'ai eu un grave accident d'automobile. Alors que je courais en pleine rue aux environs de l'internat, une voiture m'a attrapé en plein vol. Elle m'expédia seize mètres plus loin. Une ambulance m'a amené à la clinique la plus proche. Au vu de la gravité des blessures, une ambulance me conduisit à un autre hôpital, puis à un troisième, le Cantonal, comme on l'appelait. C'était un jeudi d'Ascension et le professeur en charge du département de chirurgie était en congé. Il vint m'examiner en urgence. Pendant ce temps, la directrice de l'école essayait de joindre mes parents par téléphone, sans succès. En désespoir de cause, elle leur envoya un télégramme dont elle me donna, plus tard, la teneur : « Metin accident auto. Coude fracturé, côtes fêlées, rate éclatée, lésion intestinale possible. Présence parents souhaitable ». Mon père prit connaissance du télégramme le lendemain matin à son bureau, rentra à la maison, informa ma mère, fit sa valise et partit pour l'aéroport. Il prit le premier vol qui partait en direction de l'Europe, un Istanbul-Rome. De là, un autre l'amena à Milan, où il atterrit à une heure où il n'y avait plus ni train ni avion pour la Suisse. Il prit un taxi, traversa les Alpes et arriva à Lausanne au petit matin. Encore sous l'effet d'une narcose, je l'accueillis par un sinistre « Bonjour Monsieur ». L'infirmière de nuit le rassura vite, et lorsque je repris mes esprits, sa présence me procura une joie très intense dont j'ai le souvenir intact. Deux jours plus tard arrivèrent ma mère et ma sœur, et je passai un mois au deuxième étage du pavillon chirurgical confiné dans mon lit, jambe droite immobilisée par le goutte-à-goutte rendu nécessaire du fait de la lésion intestinale, et bras gauche suspendu à la potence du lit, plâtré de l'épaule à la main. Ma mère était installée dans un hôtel du haut de la ville, où elle avait pris « pension complète », si bien qu'elle faisait le trajet quatre fois par jour. La route n'était pas longue, mais ma mère devait emprunter une interminable montée d'escaliers, situés en contrebas du pavillon chirurgical. Deux fois par jour, je guettais son apparition. Perchée comme toujours sur des talons aiguilles dont elle n'aurait, pour rien au monde, sacrifié le port, elle escaladait les marches avec lenteur, et sans nul doute dans l'effort – en vraie Orientale, elle n'était pas sportive pour un sou – et son effort me bouleversait. Je me sentais aimé comme jamais. Quant à mon père, il se montrait d'une attention constante à mes progrès en matière de digestion. Les côtes fêlées, le coude cassé, les écorchures sur tout le corps, la rate éclatée, même, tout cela n'était rien en comparaison du risque d'hémorragie interne au niveau des intestins. La grande question était : « Quand est-ce que Metin fera ses selles ? » Je me souviens très bien du jour où, enfin, j'y parvins. Je devais, comme on dit, « pousser » autant que je pouvais. Mon père se tenait debout à côté du lit. Penché sur moi, il m'encourageait comme si je disputais une finale de

Wimbledon : « Vas-y ! Vas-y ! » Pendant que je peinais sans succès, il me lança : « Pour chaque morceau, demande-moi le cadeau que tu veux ! » J'eus droit à une montre et à une petite gourde.

Tu étais là. Près de moi, autant qu'un père peut l'être. Tu étais tendre, joyeux, généreux, tu me gâtais. Tu m'apportais des livres, l'un sur les fusées – je me dis ce jour-là que plus tard, je serais physicien –, un autre sur un aviateur allemand de la Deuxième Guerre, Ernst Udet, un héros ; un homme de paix, aussi.

De mes onze années d'internat, ce mois d'hôpital fut certainement le plus heureux.

Nous étions ensemble.

Mais cette proximité fut de courte durée. L'été de cette même année, je passai juillet dans un internat de Suisse alémanique, l'Institut Montana Zugerberg. Il fallait que j'apprenne l'allemand. J'en repartis quatre semaines plus tard, parlant l'italien assez bien, et familiarisé avec deux sports américains, le baseball et ce qu'ils appellent « football », qui se joue avec un ballon de rugby. Un garçon d'environ mon âge m'apprit les gestes justes. Je n'étais pas doué, mais il était d'une rare gentillesse et d'une infinie patience. Plus tard, il allait mettre ces qualités à contribution pour essayer de ramener la paix dans le monde. Il s'appelait John Kerry.

Mais la plupart des mois de juillet se déroulaient selon le même rituel. Vidée de tous ses internes, l'école accueillait des garçons qui venaient pour apprendre le français et vivre ce qui constituait souvent leur seule expérience d'internat. J'étais forcément exempté des cours de français du matin (les après-midi étaient dévolus aux sports) et passais mon temps seul au bord du lac, à pêcher la perchette et surtout à lire. Je connus mes premières émotions de lecture sur un petit banc de pierre situé sous le cognassier de l'école. Le premier vrai livre que je lus était intitulé *Contes des héros et des dieux* et racontait l'Antiquité grecque.

Ces vacances d'été à l'internat étaient très différentes de celles de Pâques ou de Noël. L'école était pleine, il n'y régnait pas cette atmosphère d'abandon, et les semaines passées à lire, pêcher et faire du sport étaient certainement les plus agréables de l'année. Entre internes, l'ambiance était très amicale. Ceux de juillet étaient des internes de circonstance, des doux. Pour la plupart, ils habitaient le reste de l'année chez eux. Ils n'avaient pas la peau tannée par des années d'internat.

À la fin juillet, ma mère venait à Lausanne et me retirait de l'école. Nous passions août au Mont-Dore ou à La Lenk, pour soigner l'asthme dont nous souffrions tous deux, sinon à San Remo ou à Crans-sur-Sierre. Il arrivait que mon père nous y rejoigne pour quelques jours, jamais plus.

Pas question de partager nos activités. Tu lisais les journaux, t'ennuyais, et même de cet ennui j'étais fier : tu avais mieux à faire que de perdre ton temps à te prélasser durant trois semaines au bord de la mer.

Je ne me posais jamais la question de savoir ce qu'il pouvait bien faire, justement, là où il était, si ce n'est travailler. Sans doute y avait-il d'autres femmes dans sa vie, mais je n'ai jamais eu le courage de me poser la question.

De ces étés passés avec ma mère, j'ai gardé le souvenir le plus délicieux qui soit. Ils avaient toujours pour cadre un hôtel et ces lieux me procurent encore une émotion démesurée, presque ridicule. Ils incarnent l'affection inespérée, celle à laquelle on ne croit plus et qu'il faut saisir au vol. Je ressens toujours le désir, où que je sois, de me retrouver dans un hôtel. Je sais que je m'y sentirai chez moi. Aujourd'hui, chaque occasion d'y rester une nuit est toujours bonne à saisir. Si je suis à Genève, il ne passe pas un jour sans que je n'aille dans un bar d'hôtel prendre un café ou un sandwich.

28 juillet 2016, 14 h 20

Dans le train pour Zurich

« Comment vos parents ont-ils pu ? Sept ans, c'est si petit… » On m'a posé la question mille fois.

J'ai toujours pris ta défense :

« Dans les années trente, à Vienne, mon père, sa sœur, son mari, leur fils et un pensionnaire vivaient à cinq dans une grande pièce. Les derniers jours de chaque mois, ils n'avaient pas de quoi manger. À l'internat, nous apprenions à danser le tango et la valse… Nous pratiquions le ski, le tennis, l'aviron… Nous étions nourris copieusement. Par comparaison, le grand luxe… Pas de quoi se plaindre. »

Se plaindre ? De manquer d'affection ? Des histoires de jeunes filles ! Tout le monde me faisait comprendre que cela aurait été honteux. Que j'aurais aggravé mon cas à rouspéter, alors que pendant la guerre, il n'y avait pas tous les jours du pain blanc.

Oui, je t'ai défendu à chaque interrogation.

Cela ne change rien à l'affaire. Était-ce impératif de me mettre en internat, et si loin, à l'âge de sept ans ? Malgré Tülin ? La question m'a taraudé un soir de Noël, l'année où ma fille aînée avait sept ans, au moment où elle ouvrait ses cadeaux, au milieu des cris de joie et des embrassades. Soudain je compris de quoi, à son âge, j'avais été privé. Je fus anéanti.

Quelque chose s'est cassé entre nous, ce soir-là. Il aurait fallu que j'aie le courage de t'affronter. Dès le lendemain.

Sans doute mon père avait-il quelques bonnes raisons pour me placer en internat.

Son mépris pour la bourgeoisie juive de Turquie en était une. Il la trouvait inculte et complaisante. Dans le salon du Günesh, il y avait sa bibliothèque pleine de ces livres auxquels je ne comprenais rien, et même triplement rien, vu qu'ils traitaient de sujets qui me dépassaient, qu'ils étaient en allemand, écrits de surcroît en caractères gothiques. Mais ils respiraient la grandeur, la noblesse, la beauté. Mon père avait accédé à la culture à la force du poignet. Quittant Istanbul à quatorze ans sans un sou et sans parler un mot d'allemand, il était devenu un homme cultivé, puissant, fidèle à ses idéaux de gauche en dépit de ses succès dans les affaires.

M'envoyer dans un internat suisse, c'était faire de moi un *Mensch*, un gars d'une autre trempe que les enfants gâtés des familles bourgeoises de Constantinople. De cela aussi, je lui étais redevable.

Il n'empêche. Le contraste avec la douceur stambouliote était vertigineux. Durant des années, mon père ne passait me voir à l'école que tous les trois ou quatre mois, le temps d'un week-end.

Tu ne me manquais pas. Mais lorsque la secrétaire de l'internat m'annonçait ta visite prochaine, je me mettais à courir dans toute l'école en criant : « Mon père va venir ! Mon père va venir ! »

Ces sentiments contradictoires peuvent sembler étranges. Je crois que ma nostalgie m'était trop douloureuse pour que je la laisse s'exprimer. D'autant que quelques jours plus tard, lorsqu'un des surveillants lançait : « Metin, ton père est là ! », je courais au salon de l'école en hurlant : « Papa, papa ! »

Je te voyais enfin ! Je sautais dans tes bras. Tu souriais.

Je relis ce que je viens d'écrire : « Le contraste avec la douceur stambouliote était vertigineux. » Sans doute est-ce dans ce mot que se trouve l'explication. Que fait-on lorsqu'on ressent un vertige ? On tourne la tête. On regarde ailleurs, pour ne pas tomber dans le vide. Question de survie. On s'accroche à la paroi, là où on peut planter ses doigts, on s'y agrippe par les ongles. On fait tout pour assurer sa prise.

Les zones douces de la paroi, c'étaient le théâtre, la lecture, l'écriture, la musique, et bien sûr les filles. Il suffisait que j'en approche une pour en tomber amoureux, presque toujours follement. J'adorais ces états. Les occasions de se voir étaient rares, mais cette difficulté présentait un avantage : le risque d'être éconduit était limité. Chacun vivait sur son nuage. Être amoureux, c'était le salut par l'illusion.

À ses arrivées à l'école, mon père semblait heureux. Il souriait, oui, mais comme quelqu'un qui recueille les applaudissements.

Tu n'étais jamais envahi par l'émotion.

Suis-je injuste ? Ingrat ? Peut-être. Il y avait dans sa posture quelque chose de maîtrisé, d'un brin distant. Était-ce sa vanité de père face à tant d'amour exprimé devant la directrice et les professeurs qui nous entouraient à ce moment-là ? Il devinait sans doute leurs pensées… Si sa présence déclenchait de telles manifestations de joie, c'est qu'il était un père modèle.

Nous passions la soirée du samedi ensemble, toujours à l'hôtel de la Paix, où nous dînions à la brasserie du rez-de-chaussée.

Quoi que tu fasses, quoi que tu dises, quelle que soit la façon dont tu parlais ou dont tu souriais, j'étais pétrifié d'admiration.

Je ne crois pas l'avoir vu commander autre chose que du saumon fumé accompagné de toasts (des années plus tard, j'avais la trentaine et me trouvais un jour chez un fabricant danois de saumons fumés dont je faisais le commerce en Suisse. Nous avions passé la matinée à déguster divers échantillons. Il m'avait dit : « Je suis dans le métier depuis longtemps, je n'ai jamais vu quelqu'un manger autant de saumon fumé. » Le goût ne m'a pas lâché). Je me souviens de l'effet qu'avait sur moi le « crac » du toast au moment où il mordait dedans. À l'internat, nous ne connaissions pas les toasts, bien sûr, le bruit m'était neuf. Il représentait une force. Si le toast craquait, c'est qu'il était dur, que mon père n'hésitait pas à le dévorer, qui plus est accompagné d'un mets inconnu au pensionnat.

Tu avais toutes les audaces. Toutes les richesses. Tu étais un père formidable.

Il me vient ce souvenir, merveilleux entre tous. Un samedi où il était de passage, nous avions à faire deux courscs, l'une dans un magasin d'articles de sport situé au haut de la rue Saint-François, où l'internat s'achalandait, et l'autre en face, chez Payot, le libraire. Il m'avait acheté une tenue de hockey chère et inutile. J'avais la voûte plantaire affaissée, je portais des semelles orthopédiques, et j'étais incapable de patiner correctement.

En plus, je fuyais les chocs. Je n'aurais jamais fait partie de l'équipe, je le savais, et cette dépense me faisait honte. De plus, la livre turque s'effondrait. Payer l'écolage était « un sacrifice », il ne manquait jamais de me le rappeler. Acheter cette tenue tant souhaitée était ridicule, j'en étais conscient.

À peine étions-nous sortis du magasin, je t'avais dit : « Nous avons dépensé beaucoup d'argent. » Très gêné, j'avais ajouté : « Il y a encore les livres… On les achète ou pas ? » Te souviens-tu de ta réponse ? Elle était magnifique… « Les livres, c'est autre chose. »

Comment savoir, à cet instant, que ces mots allaient m'accompagner toute ma vie ? Que grâce à eux, à cinquante ans, je lui donnerais un sens nouveau ? Qu'abandonnant les affaires qui m'avaient réussi, j'allais chambouler ma vie pour me consacrer tout entier à l'écriture, aux livres, à cette « autre chose » ?

Ce dimanche après-midi, vers cinq heures, il m'avait ramené à l'école. Ressentait-il de la tristesse ? Pas une tristesse légère, non, pas celle qui s'évanouit dans le quart d'heure. J'entends, la vraie tristesse de celui qui va laisser son fils unique loin de lui pendant des mois. Je ne l'ai pas perçue. En ressentais-je une ? Je ne sais pas. Je ne le crois pas. Nous nous quittions pour longtemps, mais les effusions nous étaient inconnues. Je me disais qu'ainsi devaient être les rapports d'un garçon de douze ans avec son père, qu'il n'y avait pas là de quoi s'émouvoir.

En écrivant ces lignes, je me dis que tu tenais peut-être à maîtriser tes émotions devant moi, pour protéger ta fierté, ou pour m'éviter de plonger à mon tour dans la tristesse...

Si tel était le cas, alors, quel mauvais calcul ! En m'évitant de vivre un chagrin naturel, je sais aujourd'hui que mon père me privait d'une occasion d'apprendre à exprimer mes sentiments. À les partager. À ne pas sans cesse les réprimer parce qu'ils trahissent une faiblesse. Cela aurait fait de moi un homme agréable à vivre.

Je me souviens avoir lu *David Copperfield* durant l'un de ces étés passés en internat. J'en avais retiré un sentiment déroutant. Rien ne me paraissait tout à fait étranger. Certaines des aventures de Copperfield étaient hors du commun, mais sa solitude, sa mise en pension, ses démêlés avec les professeurs, son internement à l'hospice, sa relation extraordinaire avec Peggotty (ma Madamika !), tout cela me semblait familier. Je me souviens de mon incompréhension à entendre certains professeurs parler de « ce pauvre David Copperfield ». La cause de leur compassion m'échappait.

Au bar de l'hôtel du Rhône

À Genève, je trouve le réfrigérateur vide.

Au bar du Rhône, les sandwiches au saumon fumé sont délicieux : pain blanc très bien grillé, large couche de crème aigre à la ciboulette sur chacun des toasts, concombres coupés fin, et surtout trois tranches épaisses de très bon saumon.

Je passe ma commande et reprends le cours de mes pensées.

Durant mes onze années d'internat, je ne suis rentré à Istanbul qu'une seule fois. J'y suis resté une semaine, l'année de mes huit ans (la fois suivante, j'en avais vingt). J'ai ainsi passé une enfance avec les dortoirs de l'école comme idée de « chez-moi ». Je dois à cette absence deux choix qui auront marqué ma vie : un mariage à vingt et un ans, pour avoir, enfin, un domicile, et une activité professionnelle, l'immobilier, à laquelle ces années d'internat m'ont miraculeusement préparé. Il m'a toujours suffi de jeter un coup d'œil à un immeuble, à sa rue, à son quartier, pour comprendre si les appartements seraient aisés à louer ou à vendre. J'ai pris des dizaines, peut-être des centaines de décisions, souvent très vite, en me projetant dans le quotidien de ceux qui occuperaient l'appartement. Je ressentais leurs émotions, les voyais vivre, anticipais leurs joies et leurs déconvenues, comme si je les avais sous les yeux. Mes années d'internat étaient ma boussole. Je ne me suis presque jamais trompé. Nietzsche avait raison. Chaque expérience mérite d'être aimée. *Amor fati.*

D'autres souvenirs des années d'internat m'arrivent. Ils expliquent pourquoi j'ai tant aimé et admiré mon père. Par exemple ce déjeuner, qui avait eu lieu au pavillon américain, à l'Exposition universelle de Bruxelles, l'été de mes treize ans. Le garçon qui nous servait était un jeune Américain déjà chauve. Avec ses petites lunettes d'acier, il avait l'air d'un intellectuel. Mon père et lui s'étaient lancés dans une bien étrange discussion. Faisant de ses mains comme un triangle, mon père lui avait affirmé que les religions opposent un « angle fermé » à la liberté de pensée. Le garçon était étudiant en philosophie et parlait un français impeccable, à peine teinté d'accent. La discussion se poursuivit alors que le restaurant, immense, était bondé.

À la fin, tu lui avais demandé s'il était juif et il avait répondu que oui. Toi et les juifs…

Je me souviens des sentiments qui me traversaient pendant cette discussion. J'étais d'abord gêné. À l'époque, discuter avec un garçon de café, cela ne se faisait pas. Et cette manie de demander à chacun s'il était juif… Mais très vite j'étais admiratif que mon père prenne le risque d'être contré par un jeune homme brillant qui avait la moitié de son âge.

En quittant le restaurant, tu lui avais serré la main. Tu adorais ça, serrer des mains, celles des chauffeurs de taxi, des portiers d'hôtel, des conducteurs de tram… Je sentais qu'il y avait dans ce geste une affirmation forte, un caractère. Une justice, aussi. À l'époque, aucun bourgeois ne se montrait aussi égalitaire. Tu passais outre le qu'en-dira-t-on. Aujourd'hui, je fais comme toi et me dis que tu serais content de me voir agir ainsi.

J'étais très seul à l'école. J'avais deux ans d'avance, alors que dans ma classe, plusieurs garçons avaient une année de retard. J'étais premier mais mauvais en sports… Bien sûr, la tenue de hockey ne fit que déclencher des moqueries. Mais cela eut un effet inattendu.

Dans les jours qui suivirent l'achat, je repensai sans cesse à ces mots. *Les livres, c'est autre chose…* Y avait-il là une suggestion ?

L'invitation à une sorte de paradis caché ? D'état supérieur, où je serais protégé ? Je me mis à la lecture avec ferveur et constatai que cela m'offrait l'occasion d'un retournement de situation miraculeux. Lire, c'était choisir d'être seul. Choisir ! Ma solitude n'était plus subie. Elle était assumée. De honteuse, elle devenait digne… La lecture me procurait un bonheur double : celui offert par le texte et celui dû à l'honneur retrouvé. Grâce aux livres, je pouvais me dire, en pensant aux autres : ce n'est pas vous qui ne voulez pas de moi, c'est moi qui ne veux pas de vous (bien plus tard, en écrivant *Dernière lettre à Théo*, j'allais attribuer cette même pensée à Van Gogh, lorsqu'il était à Arles l'objet des moqueries des habitants de son quartier).

L'année suivante, je m'enhardis et passai à l'écriture. Je m'essayai à la poésie, à la chanson (sur des musiques existantes, j'imaginais des histoires qui tournaient l'école en dérision, cela me valait chaque fois des marques d'admiration) et surtout aux contes. J'avais dévoré tout Maupassant. J'en avais fait mon

héros, et je voyais que l'école entière prenait acte de ces manies et portait sur moi un
regard neuf. Ma solitude était désormais res-
pectée, assumée, justifiée. J'en retirai un bonheur immense. Un jour de décembre 1958,
j'écrivis un conte pour ma mère. Mon cadeau
de Noël. Une histoire à l'eau de rose intitulée
« Le fer-à-cheval ». L'un des internes le lut et
en parla à son père, qui représentait le groupe
Hachette en Suisse. L'homme connaissait
Madame Lazareff. Il lui envoya une copie
du conte. Elle aima sans doute l'idée qu'il
avait été écrit par un garçon de treize ans et
le fit publier dans l'un des magazines fémi-
nins qu'elle dirigeait. À l'internat, je n'étais
pas plus aimé. Sans doute même ma solitude
était-elle établie de manière plus radicale.
Mais au moins je n'étais plus moqué. *Amor
fati.*

À l'internat, plus encore que la lecture ou
l'écriture, ma joie, c'était le théâtre. Je m'y
investissais corps et âme. Chaque année,
l'école montait une pièce que mettait en
scène un acteur professionnel, Paul Pasquier.

Jouer m'était naturel, et surtout, essentiel, un vrai travail dans lequel je me plongeais sans compter. Texte à apprendre par cœur, exercices de diction, mouvements de mise en scène, jeu des émotions, tout me fascinait. Les décors étaient simples, bien sûr, ceux d'un théâtre scolaire, et on y faisait un usage abondant de bois de sapin et de toile de jute. Il s'en dégageait un mélange d'odeurs très prenant. À peine m'approchais-je des coulisses que j'en étais enivré. Le parfum marquait une frontière géographique avec le reste de l'école. J'étais dans un autre monde, j'étais né pour ce monde, je m'y sentais chez moi, j'aurais aimé y vivre, tout le temps. Je passais mon temps à traîner sur scène ou en coulisse en dehors des heures de répétition, juste pour humer cette odeur. Les joies que m'offrait le jeu avaient une intensité, une violence qui m'étaient jusque-là inconnues. Pendant la pièce, j'étais regardé, écouté, parfois admiré. Je le sentais. Au moment des applaudissements, ma solitude se transformait de façon radicale, bien plus encore que par la lecture. Sous la pluie d'or des bravos, elle devenait glorieuse. C'était la solitude du vainqueur. Elle restaurait ma dignité.

Mon père était venu assister à la fête de Noël une seule fois, l'année où nous jouions *Le Tricorne enchanté*, de Théophile Gautier. J'avais douze ans et tenais un rôle de vieux, Géronte.

Après le spectacle, je ne me souviens pas que mon père ait eu un seul mot pour me dire qu'il était content. Non pas content pour lui-même. Ou content pour ce que les gens allaient penser de lui. Mais content pour moi. Fier de moi.

Tu avais ce sourire condescendant qui laissait entendre : « Oui, ça n'est pas mal, en effet. » J'avais douze ans, papa ! Douze ans ! Fallait-il me priver de ce plaisir ? J'avais deux ans d'avance et j'étais premier de classe ! Je suivais en parallèle les sections classique et scientifique ! Tu le savais. Par l'école. Par la directrice. Mais non, le plaisir du théâtre était à proscrire, pour une raison simple : il t'échappait. Il ne t'était pas dû. Tu n'avais aucun lien au théâtre et pour ce plaisir unique qu'il me procurait, je n'aurais pas eu à te rendre mille grâces.

J'avais enfoui cet épisode jusqu'à ce que j'écrive ces lignes et je n'ai qu'une envie, c'est de l'oublier à nouveau.

À ma table de travail

Un souvenir de montagne me revient, de ceux auxquels j'ai longtemps pensé avec plaisir. Un jour de février, l'année de mes dix ans, mon père m'avait retiré de l'internat pour passer deux jours avec lui dans un hôtel de Crans-sur-Sierre. Ce serait la seule fois, en onze années d'internat. Pourquoi l'a-t-il fait, je ne sais pas.

Cette année-là, à l'école, la mode était au poker et je m'y étais mis avec passion. Je savais que mon père était bon joueur, je me souvenais de soirées de poker qu'il organisait à Istanbul, certains samedis. Je revois les tables dressées au salon, couvertes de fiches multicolores, de verres de whisky, de bols remplis de pistaches ou d'amandes grillées… J'avais hâte de lui montrer que je savais jouer et lui proposai une partie. Il me la refusa. Le poker était un jeu d'argent, me dit-il, le combat serait inégal. J'aurais beau le battre durant un certain temps, il finirait par gagner. Il suffisait pour cela qu'il lance le mot « Tapis » un nombre suffisant de fois et je me serais tôt ou tard retrouvé sans rien. Il n'y eut donc pas de partie de poker entre nous.

L'idée t'a-t-elle traversé l'esprit que pour moi, jouer au poker avec toi, c'était te dire que je t'aimais ? Que je t'admirais ? Que je voulais faire comme toi ? Personne n'avait d'argent, à l'internat. Nous misions des allumettes. Était-ce si grave de faire semblant ? De jouer sans argent à un jeu d'argent ? Oui vraiment, tu aurais pu me l'accorder, cette partie de poker. Tu m'aurais appris des ficelles du jeu, je les aurais montrées à mes camarades, je leur aurais dit : c'est mon père… Le plaisir que je m'apprêtais à retirer de la partie était-il si peu de chose, à tes yeux, par comparaison à l'ennui de jouer un poker de pacotille ? Ou voulais-tu moraliser mes loisirs ? Peut-être que dans un tel cas, il aurait fallu ne pas y jouer toi-même.

Longtemps je me suis accroché à l'idée que son refus était d'une immense sagesse. Dans *Nietzsche ou l'insaisissable consolation*, je racontai l'épisode de cette partie de poker qui n'en fut pas une et tirai une grande fierté de sa réaction. Aujourd'hui, je trouve cette attitude d'un égoïsme désolant.

Ce même week-end, au refuge de Bellalui, il avait glissé sur une plaque de glace et cela s'était soldé par une luxation du bras. Une employée de l'hôtel l'avait pommadé et bandé. Je me souviens parfaitement d'elle, une petite boulotte aux cheveux bouclés, très jeune, souriante. Il l'avait invitée à dîner. J'avais été me coucher sans l'attendre. Le lendemain, il me demandait « de ne rien dire à maman ». À la seconde même, je cachai le secret au fin fond de ma mémoire. Il est resté perdu dans ses replis jusqu'à l'écriture de ce texte.

Un autre souvenir me revient alors que j'écris ces lignes, impossible à refouler et beaucoup plus douloureux. C'était l'année de mes seize ans et j'avais une petite amie du nom de Chloé. Un dimanche après-midi, son père nous avait emmenés voir *The Ladykillers* au Ciné du Bourg. Chloé et son père m'avaient ensuite raccompagné à l'école en taxi. Avec délicatesse, son père s'était dépêché de s'asseoir à l'avant pour me laisser seul à l'arrière avec elle. Le mardi, je reçus de mon père une lettre terrible, culpabilisatrice, m'accusant de mal travailler, de n'être pas sérieux… J'avais été au cinéma un dimanche, il l'avait appris par le proviseur de l'école.

Tu aurais pu m'interroger. Me demander pourquoi. Me gronder, me prendre entre quatre yeux… Mais non. Tu tirais après t'être mis à couvert.

J'avais couru au Zanzibar, le petit café où nous nous retrouvions entre internes. La lettre me faisait honte, mais ma tristesse était plus forte que ma honte, il me fallait la partager, ce que je fis avec mon meilleur ami, Stefano, un Italien dernier de classe que mon père avait surnommé *Schwarze Rabe*, corbeau noir. Stefano était supposé exercer sur moi une influence néfaste. Ce n'était pas le cas, bien sûr. Mon père aurait sûrement préféré me voir en compagnie d'un premier de classe. Hélas, c'était moi… Les premiers de classe se retrouvaient rarement en grand nombre dans un internat pour gosses de riches… Stefano n'était pas un premier de classe. Mais il me donnait son amitié.

Le soir même, mon père me téléphonait de Leipzig, où il s'était rendu comme chaque année pour la foire, la « Messe ». La chose était extraordinaire, car il ne me téléphonait jamais.

Après avoir cherché à justifier sa lettre, voilà qu'il éclate en sanglots.

C'était la première fois que je t'enten-dais pleurer. J'étais perdu. Je te demandai : « Qu'est-ce qu'il y a, papa ? Qu'est-ce qu'il y a ? »

Il me répondit que ma sœur et moi étions « ses seuls espoirs ». Je n'avais rien compris à ces mots, et nous avions raccroché.

Mon sentiment de culpabilité était épouvantable, plus grand encore qu'à la réception de la lettre. J'étais le fils indigne qui faisait pleurer son père.

Mais toi, papa, qui étais-tu ? Pourquoi sanglotais-tu ? Qu'est-ce qui te rendait si triste ?

Pas une question liée au travail, pour sûr, il était bien trop fort pour cela, trop prudent, aussi. Il m'avait dit un jour que de sa vie, il n'avait ni signé une traite, ni contracté un emprunt. Jamais. Qu'il avait toujours vécu à un niveau de vie inférieur de deux, voire trois crans, à celui qu'il aurait pu se permettre. Alors, pourquoi ces sanglots ?

Que s'est-il passé entre le moment où tu m'as écrit cette lettre et celui où tu m'as téléphoné ?

29 juillet 2016, 7 h 30

À la cuisine

Hier, alors que je changeais de train en gare de Zurich, je me suis souvenu qu'il avait ses habitudes dans l'un des hôtels situés en retrait de la *Bahnhofstrasse*. Ce n'était pas l'un des plus imposants de la ville, plutôt l'un de ces endroits chic et sobres. Il détestait l'esbroufe.

Ce souvenir me ramène à l'école, où l'esbroufe était une règle de vie. Il fallait enjoliver la réalité. Se donner des airs. Mentir. Faire du tapage. Je cherche l'origine du mot esbroufe. Il vient d'ébrouer. Le cheval s'ébroue. Le chien s'ébroue. Que visent-ils, à s'ébrouer ? À se débarrasser de quelque chose qui leur colle à la peau. Il y a de la violence dans l'esbroufe. Il suffit de regarder un cheval s'ébrouer, il y met toute sa force. Être placé interne durant de longues années, c'était une humiliation. Bien sûr, personne n'en parlait. Jamais, que je sache, aucun élève n'a dit : « On nous a mis au rancart. » Mais l'idée était en nous et il fallait la nier. Elle nous hantait autant que nous la fuyions. Comment justifier notre présence en internat ? En décrétant qu'il n'y avait pas d'autre solution, pardi ! Il fallait pour cela que l'image du père soit aussi forte que possible : nos parents nous avaient largués, soit, mais si le père était quelqu'un d'important, le tour était joué. Sa stature, son rang social, sa force, venaient restaurer l'honneur. Un père ministre ou grand industriel ne pouvait pas, ne devait pas avoir le temps de s'occuper de son fils. Son statut rendait l'exil du fils inévitable. Être placé en internat devenait un motif de fierté. Je suis ici parce que chez moi se décide le sort du monde.

Le papa d'untel était soudain propriétaire des usines Jaguar. Celui de tel autre possédait

American Express. Un autre vivait dans un château (celui-là avait invité un camarade à passer quelques jours de vacances chez lui. Le camarade se retrouva à faire la vaisselle en famille).

Pour ma part, j'avais eu recours à une photo de mon père qui me suivait de dortoir en dortoir. On le voyait descendre les marches d'un escalier mobile posé contre le fuselage d'un avion. Sur la carlingue étaient écrits ces mots, en grandes lettres penchées : « *Scandinavian Airlines System* ». Il tenait sous le bras une épaisse liasse de journaux, et cela lui donnait un air d'homme important que j'adorais. Autre chose me fascinait sur cette photo : il était seul sur l'escalier, comme le sont les grands personnages.

Exhiber cette photo, c'était appartenir au cercle des mythomanes. Mentais-je vraiment ? J'y croyais sans y croire. Je n'avais pas eu à la choisir… C'était la photo qu'on m'avait donnée.

Toi ou maman. Ou alors l'avais-je choisie, dans l'idée d'en tirer un mensonge ?

Car il en émanait une force, une autorité. Un père qui descend seul d'un grand avion, cela rassurait. Mais un père injuste qui gronde et puis s'écroule, cela me plongeait dans le désarroi. Mon admiration laissait la place à l'incompréhension, puis à la révolte. On m'avait berné.

C'est dangereux de vouloir être admiré par son enfant pour ce que l'on n'est pas. Est-ce que cela ne s'appelle pas de l'esbroufe ?

29 juillet 2016, 8 h 45

À ma table de travail

Peu après l'épisode de la lettre, un événement vint embellir ma vie d'interne. Je tombai éperdument amoureux de Geraldine, la fille aînée de Charlot. Comme dans les contes, mon quotidien s'illumina d'un jour à l'autre. Je découvris l'amour inconditionnel. Le bonheur que je ressentais était d'une violence inconnue. Geraldine et moi nous écrivions chaque jour des lettres interminables (je crois bien que la plus longue faisait près de cinquante pages). Je me retrouvais week-end après week-end au manoir de Ban, où sa famille me recevait avec affection. Geraldine était l'aînée d'une grande fratrie et moi son boy-friend… Ses cadettes, Josy et Vicky, pas encore adolescentes, nous regardaient en pouffant... Geraldine faisait tout pour que j'aie la cote avec les gouvernantes qui s'occupaient des enfants, Pinnie et Kay-Kay, histoire qu'elles nous fichent la paix et nous laissent nous cacher où nous voulions dans la propriété.

Cette période était merveilleuse. Les échanges que j'avais avec le grand Chaplin sur les questions liées au jeu d'acteur étaient des moments de bonheur auquel je n'arrivais pas à croire. L'immense artiste répondait à mes interrogations avec sérieux et simplicité. Rares étaient les fins de semaine où l'un ou l'autre des grands noms de Hollywood n'était pas de passage chez lui. J'ai gardé de ces rencontres une distance salutaire avec les célébrités de ce monde. Les stars du manoir de Ban les ont banalisées pour toujours.

Geraldine s'étonnait de la nature des lettres que mon père m'envoyait semaine après semaine, courtes, écrites à la machine. Je trouvais cela parfaitement normal, et même souhaitable. Pourquoi les autres parents écrivaient-ils des lettres longues et oiseuses, dégoulinantes de sentiments ? Les siennes commençaient toutes par *Mon cher fils*, suivi d'un point d'exclamation, comme pour dire : on se redresse ! *Kopf hoch !*

Geraldine m'avait lancé un jour : « Ton père ne pense qu'à tes notes. » Je lui avais répondu qu'elle ne comprenait rien. Mais sa remarque m'avait serré le cœur.

D'autres épisodes, pour autant, viennent contredire cette image de dureté et de sécheresse. Ils me rappellent combien mon père était courageux, combien sa pensée était forte, personnelle, combien il se fichait des bien-pensants. Pour ces épisodes merveilleux, au milieu de toutes mes colères, je lui voue une admiration et une gratitude immenses.

À l'internat, pour dire « Allemand », nous n'utilisions pas d'autre mot que « Boche », souvent précédé d'un adjectif, toujours le même : sale. C'était : « un sale Boche, les sales Boches », et ainsi de suite. La guerre n'était pas loin. Les personnages allemands des films que l'on nous emmenait voir étaient tous des salauds. Un jour où nous discutions de l'Allemagne et des Allemands, mon père me regarda, très calme, et eut ces mots : « Il s'est passé ce qu'il s'est passé. D'accord. Mais n'oublie jamais ceci : l'Allemagne est un grand peuple. » Il fallait être d'une profonde sagesse pour prononcer de tels mots. D'un rare courage, aussi. Qui s'y risquait, à cette époque ?

Tu l'as fait, toi, juif. Et de cela, je te suis infiniment redevable. Je vivrai d'immenses joies grâce à ces mots.

Ils m'ont ouvert la route à des textes qui ont changé ma vie, ceux de Nietzsche, que tant de gens qualifient d'antisémite et qui était son contraire ; ceux de Jaspers, le plus lumineux des philosophes du XXᵉ siècle. Ils m'ont ouvert la voie aux poèmes de Hölderlin, et bien sûr à la grande musique allemande. Si j'ai pu tous les approcher sans retenue, c'est grâce à ces mots que mon père avait eus, à contre-courant : l'Allemagne est un grand peuple. Chapeau. Grâce à eux, aussi, j'ai pu établir des amitiés merveilleuses avec des Allemands. Je me souviens d'un épisode où nous étions en tournée à Turin avec l'Orchestre de la Suisse romande. À l'époque, son chef titulaire était Armin Jordan, grand amateur de blagues antisémites, mais aussi très ambigu, fasciné par l'apport des juifs à la musique. Je me souviens de tête-à-tête au cours desquels il cherchait à me convaincre que Wagner était juif. Voilà qu'un soir de la tournée, il me voit au bar de l'hôtel en train de bavarder avec trois violoncellistes, tous trois allemands, et murmure : *Die deutsche Ecke…* Le coin allemand… Son visage s'était éclairé de surprise mais aussi, je crois, d'une authentique joie de me voir, moi, juif, aussi heureux que je l'étais en compagnie de ces trois violoncellistes allemands, les trois garçons merveilleux qui avaient pour nom Jakob Clasen, Karl Kühner et Stephan Rieckhoff.

Mon père sur mes épaules

Tes mots avaient tracé mon chemin.

C'est autour de la question juive que le souvenir de mon père est le plus merveilleux, et ce sera sur la question d'Israël et de la Palestine que naîtront nos plus fortes divergences. Une fois de plus, la question juive réunira en elle tous les espoirs et toutes les détresses.

29 juillet 2016, 10 h 30

À la cuisine

Pourquoi suis-je allé à Flims ?

Tout à l'heure, je pensais que c'était sur ordre de mon père. Qu'il m'indiquait le droit chemin. Qu'il me rappelait au devoir d'humilité…

Et si au contraire, c'était moi qui avais voulu te retrouver ?

À Flims, précisément, où il était si heureux. Si proche de lui-même. Plongé dans son milieu d'homme d'affaires, entouré de personnes qui l'estimaient, l'écoutaient, l'admiraient. J'ai gardé une photo qu'il m'avait envoyée au milieu des années 1970, prise au Waldhaus de Flims, précisément, alors qu'il s'exprimait devant l'assemblée des représentants.

Il était debout sur un podium, devant un micro. Bras droit tendu et poing fermé, il avait un geste péremptoire. Au dos de la photo, il avait écrit : « Cohn-Bendit », suivi d'un point d'exclamation.

Cette photo et son commentaire racontaient le plaisir que tu avais à te retrouver à Flims, année après année, ta nostalgie des années viennoises, lorsque tu étais l'un des chefs des jeunesses socialistes autrichiennes et que tu te battais pour tes convictions d'homme de gauche.

Et si c'était moi qui avais voulu aller à Flims ? M'approcher de mon père dans ces instants où il était si heureux ? Si proche de l'homme d'Istanbul ? Apte à me recevoir comme là-bas, avec douceur et tendresse ? Oui, je crois bien que j'ai été à Flims pour retrouver le papa du Günesh et des coque-licots.

Pour que tu me souries ! Que tu me prennes dans tes bras ! Pour que tu m'embrasses, que tu me poses mille questions dans lesquelles j'au-rais perçu de l'intérêt, de l'affection, et surtout, papa, surtout, de l'estime. De l'estime, pour l'amour du ciel !

29 juillet 2016, 11 h 30

À ma table de travail

Un jour à Istanbul – j'avais donc moins de sept ans – j'interrogeai mon père sur les règles du mariage : un juif doit-il nécessairement épouser une juive ? Un musulman, une musulmane ? Non, me répondit-il, l'important est d'épouser une fille bien, d'où qu'elle vienne. Tu épouseras la personne de ton choix. Bien des années plus tard, il allait prendre ses distances avec ces paroles. Il les renierait même sans vergogne.

Et pourtant… Il me vient en mémoire la manière dont il organisa ma préparation à la Bar-Mitzvah. À nouveau, il se montra remarquable. Mis à part le strict minimum de cours d'hébreu (je crois en avoir pris deux en tout), il confia ma préparation à Mademoiselle Meyer, protestante vaudoise pur sucre et professeur de français à l'internat. L'idée se révéla formidable. Mademoiselle Meyer laissa toute la place à la réflexion. Quel est le propos de la Bar-Mitzvah ? Marquer l'arrivée d'un homme à sa maturité. Appartenir à la communauté des adultes, qu'est-ce que cela implique ? Quelles responsabilités devrais-je assumer désormais ? Dans mon discours, elle avait incrusté « Si », le poème de Kipling. J'en ai choisi quelques extraits, affichés aujourd'hui en grandes lettres dans mon cabinet d'écriture. Il débutait ainsi :

Si tu peux voir détruit l'ouvrage de ta vie
Et sans dire un seul mot te mettre à rebâtir…

Le poème énonçait des règles de conduite surhumaines et se terminait par ces mots, que j'écris ici dans l'émotion :

Alors les rois, les dieux, la chance et la victoire
Seront à tout jamais tes esclaves soumis.

Et, ce qui vaut mieux que les rois et la gloire,
Tu seras un homme, mon fils.

Il fallait beaucoup d'intelligence et de caractère pour décider d'une Bar-Mitzvah de cette nature, plus laïque qu'orthodoxe, qui menait à l'essentiel, et tant pis pour le qu'en-dira-t-on.

C'est durant ces années-là qu'un jour, de passage à Paudex, mon père a écrit quelques mots dans le petit cahier de souvenirs que j'avais alors. Nous étions nombreux à l'école à avoir un tel cahier. J'ai conservé le mien, je ne sais par quel miracle, car sinon je n'ai rien voulu garder, absolument rien, des années d'internat. Un détail de ce cahier me fait sourire. Ma mère y a écrit quelques lignes, elle aussi. Ses mots sont datés, et ils sont antérieurs à ceux de mon père. Mais sa page suit la tienne.

Je t'avais réservé la première entrée...

Il m'avait écrit :

Mon cher fils !

Toute la vie n'est que travail. Que le travail soit pour toi non seulement un moyen de réussir dans la vie, mais qu'il t'apporte cette joie de vivre, indispensable pour affronter toutes les péripéties qui t'attendent !

Seulement par le travail, tu pourras t'affranchir et atteindre le perfectionnement de tes facultés intellectuelles.

Aime le travail !

Travaille ardemment et sans relâche !

Papi

J'ai inscrit ces mots en grandes lettres dans mon cabinet d'écriture, au voisinage du poème de Kipling.

Si les années d'internat n'ont pas déclenché de révolte, c'est qu'à aucun instant je n'ai douté qu'elles étaient « pour mon bien », que je n'étais pas « abandonné » durant onze longues années. L'argument ressortait comme l'oiseau de sa boîte : en me mettant en internat, ce n'était pas moi que l'on sacrifiait mais vous. Je devais m'en montrer reconnaissant. Me révolter? Mais pourquoi donc? Quelle ingratitude! Tout autour de moi indiquait que j'avais un père exceptionnel.

Je le voyais admiré, disert, brillant, charmeur. Rieur. Sa grande intelligence, son amour du détail, son goût du débat, lui permettaient de traiter chaque sujet avec une limpidité qui honorait tes interlocuteurs. Soudain, ils comprenaient tout. Écouter mon père les rendait clairvoyants. Il n'avait que des amis. Des adeptes.

Les compliments qui lui étaient adressés déclenchaient en moi un mélange bizarre, fait d'émerveillement et d'incompréhension. Comment expliquer que tant de gens aient une telle foi en lui?

Je compris bien plus tard les motifs de telles adhésions. Il y avait d'abord sa grande intelligence, bien sûr. Son cosmopolitisme, aussi, qui lui permettait une vision panoramique des affaires du monde, une authentique *Weltanschauung*. Mais c'était surtout la distance qu'il arrivait à mettre entre lui et les autres qui rendait ses analyses imparables. Il examinait leurs problèmes avec une attention maîtrisée, je le voyais à l'absence de tout débordement dans son écoute. On ne dira jamais assez combien c'est un grand bonheur de savoir rester froid à ce qui perturbe autrui. Mon père prenait le temps qu'il fallait. Les problèmes des autres ne devenaient jamais les siens, et cette liberté lui permettait de garder sur ses interlocuteurs un ascendant absolu.

Jamais un mot de trop. Jamais une ironie. Pas l'ombre d'une critique. Il était avec chacun d'une gentillesse extrême. Il prenait plaisir à abonder dans son sens.

Au moment de prendre congé, tu avais toujours ces mots, dits avec empathie : « Portez-vous bien. » Tu aimais être doux. Les gens t'adoraient.

Ces admirations le comblaient, alors forcément, la mienne ne pesait pas lourd dans la balance. Mon père la recevait comme un dû.

On aurait dit qu'il mettait tout en place pour qu'à mes yeux il tombe un jour de son piédestal.

29 juillet, 13 h 15

À la cuisine

Alors que je relis ce texte, il me rappelle une blague que me racontait un ami de Neuilly :

« C'est l'histoire d'un garçon à l'enfance très malheureuse : chaque dimanche, son père le battait au tennis devant le personnel de maison. »

C'est vrai, nous avions « de la chance », parents et professeurs nous le répétaient à l'envi. Eux avaient connu les duretés de la guerre, alors que nous vivions dans le coton. Nous étions gâtés.

Mais nous ne voyions jamais nos parents. Nous n'entendions pas leur voix. Nous n'étions pas embrassés par nos mères, ou caressés, ni même touchés. Et non, nos pères ne jouaient pas au tennis avec nous. Ni à quoi que ce soit d'autre. Pire, le *leitmotiv* de « la chance » nous mettait dans une situation impossible. Comment admettre, sans être accablés de reproches, oui, comment avouer que la nostalgie de la maison, de la famille, de ce qui fait une vie normale, avec ou sans tennis, nous rendait malheureux ? À cela s'ajoutait – pour beaucoup d'entre nous – un autre *leitmotiv*, celui du sacrifice consenti par les parents pour nous offrir la meilleure éducation possible.

Nous étions largués, et il fallait en plus jouer les caniches. Dire merci.

À défaut, cela aurait fait de nous des ingrats. À la solitude se serait ajoutée la culpabilité. Et là, c'était *too much*. Car nous n'étions que des carapaces vides. Des grandes gueules, bien trop fragilisés pour résister à un tel reproche. Alors autant se murer. Refouler le besoin même d'une caresse. L'idée même d'une caresse.

Quoi, une caresse, moi ? You talkin' to me ?

Le déni comme mode de survie.

À ma table de travail

Les années ont passé. J'ai quitté l'internat. De quoi rêvais-je alors ? De « réussir », bien sûr.

Mon père voulait que je fasse des études d'ingénieur, je les ai faites. Ma seule requête était que je puisse étudier la physique, une branche qui me semblait plus élégante que la mécanique ou l'électricité, qui avaient sa préférence. Mon choix laissait une place à la frime. Être ingénieur-mécanicien, voilà qui avait des relents d'atelier. Être physicien, cela faisait un peu philosophe. Mais c'était à l'École polytechnique et il était rassuré.

J'ai obtenu mon diplôme, poursuivi d'autres études, un troisième cycle en génie atomique, un MBA à Stanford. Engagé par les consultants de chez McKinsey, je les ai quittés deux ans plus tard pour me mettre à mon compte à vingt-sept ans. Comme lui.

Je crois bien que j'ai passé ma vie à essayer de te faire plaisir. Et maintenant, que fais-je, encore, en écrivant ? Les livres, c'est autre chose, m'avais-tu dit. Oui, tout autre chose. Au-dessus de tout. Au-dessus de la dépense qu'avait engendrée la tenue de hockey. Au-dessus de toute valeur matérielle. Et tes livres, ceux de ta bibliothèque du Günesh ? N'étaient-ils pas au-dessus de tout, eux aussi ? Goethe et Schiller en caractères gothiques, Heine et les grandes encyclopédies allemandes, en gothiques bien sûr. Des livres qu'à trois ou quatre ans je regardais avec vénération, avec crainte. Des livres qui racontaient ta vie. Ton élan vers la grande culture. Des livres incompréhensibles, c'est-à-dire empreints de ta gloire et de ton mystère. Oui, si j'ai, à cinquante ans, abandonné une vie d'homme d'affaires pour l'écriture, son immense difficulté et le risque permanent d'échec qui l'accompagne, sans parler de l'angoisse qu'elle génère, c'est parce que tu m'as indiqué où se trouvait le monde le plus beau. Mais je l'ai fait aussi, peut-être même beaucoup, pour que tu m'admires. Et tu vois, je continue.

29 juillet 2016, 15 heures

Au bar de l'hôtel du Rhône

Au bar de l'hôtel, je repère Redouane, un ami algérien qui m'avait aidé pour tout ce qui touchait à l'islam, lorsque j'écrivais *Le Turquetto*. À chacune de nos rencontres, le même sentiment refaisait surface : nous conversions comme un Arabe et un Juif l'auraient fait à Cordoue ou à Grenade, au XIIe ou au XIIIe siècle : dans un esprit d'estime et de confiance absolue. C'était délicieux.

Redouane est entouré. Je le salue d'un petit geste et m'éloigne. Sa présence me renvoie à l'impasse israélo-palestinienne, un sujet que je n'arrivais pas à aborder sereinement avec mon père.

114

Tu défendais l'indéfendable. Toi, auteur de pamphlets en première page du Junge Kämpfer (Le jeune lutteur), *la publication des Jeunesses socialistes autrichiennes (j'ai fièrement accroché dans mon bureau le premier numéro signé de tes initiales, D. A.), tu n'étais plus disposé à la moindre remise en cause d'une politique de violation des droits humains au Proche-Orient. Tout t'aurait désigné pour jouer ce rôle avec force au sein des communautés juives de Suisse. Tu avais la légitimité et la dimension morale pour dire : « L'héritage spirituel sur lequel notre peuple a bâti une nation est en train de voler en éclats. En l'absence de nos valeurs, demain, nous ne serons plus nous-mêmes et nous nous perdrons. » Toi, homme de gauche, tu soutenais la politique d'occupation menée par Israël en Palestine. Toi, homme d'ouverture, homme de lumière, un jour que je te parlais de je ne sais quel événement qui s'était passé « avant Jésus-Christ », tu m'as repris pour me dire : « Nous disons : avant notre ère »… Comment as-tu pu m'annoncer un soir, durant la période houleuse de mes fiançailles : « Elle a téléphoné, elle retire sa parole », alors que ce n'était pas vrai, qu'« elle » n'avait décidé qu'une seule chose, qui était de ne pas se convertir au judaïsme, parce que la question de la religion s'était transformée en une bataille ridicule entre deux familles plus soucieuses du qu'en-dira-t-on que du bonheur de leurs enfants ? Toi, homme d'ouverture qui m'avais dit « Tu épouseras qui tu voudras », tu faisais passer mon bonheur au second plan au profit de considérations obscurantistes, alors que celle que je voulais épouser, que j'allais épouser, coûte que coûte, était le modèle même de la femme que tu m'avais souhaitée.*

Tu étais devenu quelqu'un d'autre.

En écrivant ces lignes, je commence à comprendre ce qui s'est passé. Je devine, aussi, combien mon père devait être malheureux pour agir de la sorte.

Quelques années plus tard, alors que je m'étais à peine installé à Genève, eut lieu un épisode dont le souvenir me blesse encore.

Ma fille de trois ans tomba malade. Durant de longs mois, aucun médecin n'arriva à établir un diagnostic, encore moins à la guérir. Ma femme et moi étions fous d'inquiétude.

Je venais de m'installer à mon compte et devais voyager sans cesse, surtout aux États-Unis. L'angoisse concernant la santé de notre fille, les incertitudes inhérentes au travail, les longues absences : tout était difficile. Après plusieurs mois d'hypothèses de toutes sortes, on localisa un kyste. De quelle nature ? Il fallait opérer, on le saurait ensuite. Je n'étais pas inquiet : j'étais terrorisé. Mes parents habitaient Lausanne à cette époque. Le jour de l'opération, ma mère est venue à l'hôpital. J'étais étonné de ne pas voir mon père. « Il a son courrier », me dit ma mère. Je ressentis ces mots comme un coup de poignard. Sa petite-fille allait subir une opération critique, il se trouvait à une demi-heure de train, il n'avait aucune obligation, et il restait chez lui pour « faire son courrier »...

Tu restais chez toi pour faire ton courrier ? !

Comment expliquer une telle lâcheté ? Quels étaient ses sentiments à notre égard ? Fuyait-il l'instant où on aurait annoncé une terrible nouvelle qu'il aurait dû partager ? Il se débinait et ma mère me servait un infâme « il a son courrier », en d'autres termes : « C'est tout ce qu'on peut faire pour toi, mon coco. Si tu n'es pas content de cette excuse, c'est pareil. » Lequel des deux avait eu cette idée honteuse ? Ma mère était toujours solidaire de lui, je l'ai dit. Était-ce elle qui voulait lui éviter un affrontement douloureux avec la maladie ? Ou est-ce que la vérité était plus simple ? Aller à Genève l'ennuyait.

Ce souvenir me révolte. Sache-le.

Je n'ai aucune envie du sandwich que me sert la jeune fille du bar. Je le mange jusqu'au bout, sans plaisir. Une habitude d'internat : on ne laisse rien dans l'assiette.

29 juillet 2016, 17 heures

À ma table de travail

Un autre souvenir lié à la situation au Proche-Orient me vient en mémoire, qui met à mal l'image de l'homme éclairé qui m'avait ébloui au pavillon américain.

Mon père vivait à Genève, désormais, après avoir « liquidé » ses affaires de Turquie, comme il disait avec amertume. Il s'ennuyait.

Heureusement, il y avait le Gemeindebund, la Fédération des Communautés israélites de Suisse, dont il était le trésorier. Un brillant trésorier, à écouter chacun. Qui pouvait en douter ? Il avait tout pour plaire. Enfin, un Sépharade germanophone chez les Ashkénazes…

Notre différend avait eu pour cadre la synagogue, où mon père m'avait demandé de l'accompagner. Il y aurait une discussion « en petit comité » avec l'ambassadeur d'Israël. L'homme s'y connaissait en matière de flatterie. Il avait invité une vingtaine de personnes pour un « briefing confidentiel », et me voilà au milieu des amis de mon père, j'en connaissais deux ou trois, à écouter la parole du diplomate. J'étais à l'époque bien plus en accord avec la politique du gouvernement israélien que je ne le suis aujourd'hui. Il était moins de droite et j'étais moins de gauche. Au moment des questions-réponses, je levai la main. Je voulais parler de l'image d'Israël dans le monde, injustement malmenée. L'ambassadeur me répondit avec chaleur : « Merci de placer d'emblée le débat à ce niveau. » Encouragé par ces mots, je poursuivis et posai ma question. Pourquoi le gouvernement israélien se montrait-il si incapable d'améliorer son image ? Pourquoi tant d'incompétence ? Pourquoi les pays arabes s'en sortaient-ils toujours mieux ? Ma question déplut beaucoup au diplomate. La diaspora n'est pas là pour critiquer. Ni même pour comprendre... Enfin voyons ! Israël a déjà tellement d'ennemis... La diaspora est là pour soutenir, pas pour remettre en cause... Laissons cela aux antisémites.

Arriva ce qui devait arriver. L'ambassadeur se fâcha et me moucha sèchement, tout le monde applaudit comme à la télévision.

Et toi, mon père, tu restas coi. Étais-je ton fils à cet instant ? Je tombai dans le vide. À pic.

Mon père était un lâche.

Bien sûr, de l'opinion de l'ambassadeur, ou de celle de ses amis, je me fichais. C'était la voix de mon père que j'attendais.

S'il n'était pas de mon avis, j'aurais aimé qu'il défende le point de vue opposé, en me parlant avec fermeté mais avec respect. Comme à quelqu'un qui est capable de discernement, vu qu'il m'avait invité à l'accompagner. Comme un homme s'adresse à un fils qu'il estime.

Nous aurions donné l'image d'un couple père-fils formidable, solide, capable de débattre sur fond de désaccord, de discuter de sujets difficiles avec franchise et honnêteté. Aux yeux de ses amis, il en serait sorti grandi. Alors que là, au moment du départ, ils me saluaient à peine. Sur le chemin du retour, nous ne nous sommes pas dit un mot. Il était inatteignable et moi bien trop triste et trop lâche, à mon tour, pour lui demander pourquoi il m'avait ainsi laissé tomber. La perspective d'une gifle ultérieure me terrorisait.

Aujourd'hui, en Israël, la paix est rendue impossible par la politique de colonisation. Par la bêtise de ceux qui pensent qu'un bonheur peut être construit sur le malheur d'autrui.

C'était la pensée creuse qui vous habitait, toi et tes amis. Ah ! disaient tes amis – et toi avec – on va leur rendre la vie impossible à ces

Palestiniens. Et ils vont déguerpir ! Du pre-
mier au dernier !

D'ailleurs, ils n'ont rien à faire ici ! C'est
notre terre depuis la nuit des temps ! En
plus, les Palestiniens n'existent pas. Ce n'est
pas un peuple. C'étaient des Bédouins. Ils
n'ont qu'à ramasser leurs tentes et les planter
ailleurs. Ici ou là-bas, qu'est-ce que ça peut
bien leur faire ? *There is no such thing as*
Palestinians. Il n'y a pas de peuple palestinien. Même Golda Meir l'a dit ! Elle savait
de quoi elle parlait, Golda, elle était Premier
ministre d'Israël. Et avant cela, Ben Gourion
disait d'elle que c'était le seul homme de
son cabinet. Formidable Golda ! Pas de
Palestiniens ! Le peuple palestinien n'existe
pas ! *This land is my land ! From California to*
New York'islands !

Voilà à quoi se résumait la pensée profonde du groupe qui entourait mon père et à
laquelle son silence marquait son adhésion.
Un mélange d'indigence intellectuelle, de
vulgarité et d'inhumanité.

Tout cela n'a fait qu'inoculer le poison. Aujourd'hui, en Israël, le racisme a droit de cité. Je lis une lettre de lecteur dans le *Jerusalem Post* du 16 juin 2016, une lettre signée, oui, signée, et qui dit en deux mots : À quoi bon rechercher une solution à deux États ? Avec tous les malheurs que connaît le monde, on ferait mieux de s'occuper d'autre chose. De toute façon, les Arabes n'ont jamais respecté leurs engagements. Oui. Les Arabes. Du premier au dernier, assurément. Est-ce que les Israéliens ont toujours respecté leur signature ? Les accords de l'ONU n'incluaient pas Jérusalem comme capitale d'Israël. Que seraient les réactions des communautés juives du monde entier – de la première à la dernière – si un Arabe écrivait : les Juifs sont des gens sans parole ? On n'ose l'imaginer. Mais en Israël aujourd'hui, dans un journal national, on peut se permettre d'écrire : les Arabes n'honorent jamais leurs engagements, et s'en tirer sans que personne ne soulève un sourcil.

Alors que je relis ces lignes, un souvenir me revient. Maman était venue de Turquie et nous nous trouvions à Lausanne, place Saint-François, devant le bâtiment de la poste. Quelques mois plus tôt avait eu lieu la guerre de Suez, et sans doute que j'interrogeais maman à ce sujet. Elle eut ces mots : « Tu vois, s'il y avait eu Israël, à l'époque, ils ne nous auraient pas fait ça. » Désormais, Israël offrait aux Juifs un sentiment de sécurité qu'ils n'avaient jamais connu, et c'étaient les Israéliens qui menaient le combat. Pas les bourgeois de Paris ou de New York. Il était donc impératif de les soutenir. J'en ressentais le devoir sacré, habité par l'angoisse viscérale de notre peuple, vieille de deux mille ans et portée à son paroxysme par la Shoah.

Mais depuis la guerre des Six-Jours, la situation avait évolué. D'autres analyses s'imposaient. Tu aurais dû être le premier à les faire. En homme de gauche. La politique d'occupation durait depuis près de vingt ans. On voyait que c'était un poison. Et l'on savait que cette injustice trahissait les principes fondamentaux du judaïsme.

Cette histoire d'honorer sa signature m'en rappelle une autre, moins grave mais peu glorieuse. Mes parents évoquaient souvent une « tabatière en or massif », objet éminemment masculin qui me reviendrait « quand je serais grand ». Il s'agissait d'un étui à cigarettes que l'un des amis de mon père, Erwin W., lui avait offert après qu'il l'eut aidé à débloquer ses avoirs déposés dans une banque de Zurich, à la fin de la guerre. L'objet était censé reconnaître la compétence de mon père, son savoir-faire et sa générosité. Et puis il était en or massif… À l'époque, un tel objet s'utilisait. On l'exhibait au moment des cigares. Il disait mille choses sur son propriétaire. On me le réservait, je devais par avance m'en montrer reconnaissant. Bien sûr, la fameuse tabatière était dans un coffre et je ne l'avais jamais vue.

À la mort de mon père, ma mère me remit la tabatière. Elle me sembla bien légère pour un objet en or massif. Je me dis que cela devait être une fausse impression, ouvris la boîte et ne trouvai de poinçon nulle part.

Seuls étaient gravés ces mots : « *Voyage 1947* ». Pas vraiment le message d'un ami qui venait de récupérer sa fortune. Le mot « Merci » aurait pu y figurer… Il me paraissait bien romantique, ce *Voyage 1947*. On disait l'objet précieux, il fallait donc qu'il soit couvert par l'assurance. Celle-ci exigea une expertise. Le rapport fixa la valeur de la tabatière à cinq cents francs. Elle n'était donc ni en or ni en argent. Son seul ornement était la bien étrange inscription, plus à même d'évoquer une escapade extraconjugale que le déblocage d'une grosse fortune dans les coffres d'une banque suisse.

Fallait-il que tu gardes cet objet ? Que tu le présentes comme un trophée ? Que tu abuses maman ?

Avoir passé quelques jours au lit d'une femme qui n'était pas la sienne ne suffisait pas. Il lui fallait plus. Transformer la tromperie en éloge et l'objet infâme en médaille. Fallait-il me mener en bateau, moi aussi ? Mon père voulait être applaudi, là comme ailleurs.

À la cuisine

D'autres souvenirs se bousculent, qui me mettent en rage, eux aussi. Des années plus tard, je voulus partager avec mon père une réussite, du moins, ce que je croyais être une réussite *à ses yeux*. Un jour de juillet, je lui annonçai que je reprenais mon enseignement à l'École polytechnique et que l'on m'y nommait professeur invité. Je me disais que lui, si sensible aux titres, si prompt à donner du *Herr Doktor* ou du *Herr Professor*, lui qui avait quitté l'école à quatorze ans, serait fier d'avoir un fils professeur invité à l'École polytechnique. Je m'attendais aussi à ce qu'il en soit heureux. La nouvelle me comblait, il le voyait bien.

Tu aurais dû te voir. Tu avais réagi en faisant une grimace, un mouvement des lèvres qui disait le dégoût. J'avais le cœur en sang.

Comment était-il possible d'accueillir ainsi une telle annonce ? Plus tard, je compris ce qui expliquait sa réaction. Son gendre allait mal prendre la nouvelle. Lui et moi étions associés. Les temps n'étaient pas faciles, et il était impératif de concentrer ses efforts sur les affaires.

Il était surtout important, à ses yeux, de ne pas le heurter, lui. Peu importait qu'il me blesse, moi, son fils.

Tu aurais pu te réjouir avec moi ! Penser à ma joie et me montrer que tu la partageais, quitte, ensuite, à me mettre en garde. Et même à me convaincre de renoncer au poste. Mais non... Il n'y avait pas une once d'estime ou de tendresse. Rien. Une grimace.

Ce lâchage suivait de près l'épisode des tubes.

J'avais créé une ligne de produits à tartiner, les *Snackies*, qui à son démarrage comptait deux produits, du miel du Guatemala et une pâte de type Nutella que me fournissait une grande maison italienne. Leur originalité consistait à présenter en tubes des produits qui jusque-là n'étaient offerts qu'en bocaux. Les tubes se révéleraient pratiques pour les pique-niques ou les courses en montagne. Le fournisseur de tubes – une usine située à Vevey – était dirigé par un Monsieur A., avec lequel j'avais établi d'étroits rapports de travail. Nous avions mis au point un type de capuchon de plastique à fort diamètre, surmonté d'une lamelle qui, lorsqu'on le retournait et l'appliquait sur la membrane d'aluminium qui fermait le tube vierge, la perçait d'une fente oblongue, ce qui rendait l'étalage du produit sur la tartine très aisé. L'homme était content de participer au projet et s'y investissait au-delà du raisonnable. Mon chiffre d'affaires serait insignifiant en comparaison des commandes qu'il recevait de la grande industrie alimentaire, il le savait. Mais j'apportais une nouveauté, cela l'intéressait et je crois l'amusait.

Ce Monsieur A. dirigeait la Communauté israélite de Vevey. Je m'étais dit que mon père aurait plaisir à le connaître et je les avais invités à dîner à la maison, ma mère et lui, Monsieur A. et son épouse. Je me réjouissais de faire bonne figure devant mon père. Monsieur A. m'appréciait, mon projet l'intéressait, mon père et lui avaient mille sujets d'intérêt communs, tout était en place pour une soirée merveilleuse. Je me battais dans mon travail. J'y mettais toutes mes forces. Ce projet, dans lequel j'allais me heurter aux géants de l'industrie alimentaire, était difficile. Sa seule chance de réussite résidait dans l'exécution parfaite de chacune de ses étapes, et ma relation avec le fournisseur de tubes était essentielle.

Durant toute la soirée, tu n'as eu de cesse de me faire la leçon. Oui, tout cela était très

sympathique, mais il y avait mille choses aux-
quelles je n'avais pas pensé.

Monsieur A. était accompagné de sa femme, beaucoup plus jeune que lui. Était-ce elle que mon père voulait impressionner ?

Mon père voyait le projet de haut, prenait le brave Monsieur A. à témoin et l'associait à ses remarques. Ses mimiques montraient à quel point il doutait de ma réussite. Il n'essayait ni de m'aider ni de m'éclairer, encore moins de consolider la confiance que cet homme avait mise en moi. Non. Il voulait marquer sa différence. Se hausser en m'abaissant, sur un sujet dont il ne connaissait rien. C'était plus fort que lui.

Cet homme n'allait pas arrêter nos rapports de travail pour autant, je le savais. Mais alors qu'en début de soirée nous étions des égaux, deux heures plus tard, j'étais un gamin.

À cette même période, je t'avais un jour
demandé de déjeuner avec moi. Je n'allais

pas t'annoncer des succès retentissants, tu le savais, je me débattais dans toutes sortes de difficultés. Mais voilà, tu avais refusé le déjeuner au prétexte d'un rendez-vous chez le coiffeur, raccrochant très vite, sans proposer une autre date. Ce n'était pas chez le médecin que tu devais aller. Ni même chez le dentiste. Ce n'était pas non plus à cause de ton courrier. Non. Tu devais aller chez le coiffeur.

J'arrête d'écrire aujourd'hui. Tout cela est trop triste.

À la cuisine

J'ai passé une nuit blanche. Mais je veux tenir.

Vint le temps du succès inespéré. De la notoriété, des grandes affaires et de la Fondation. Un grand magazine économique décida de me consacrer sa une, et à l'intérieur, sept pages. Mon père en fut fier au point d'aller en commander dix exemplaires au kiosque voisin et de les envoyer à ses amis. Serais-je ingrat en avouant que cela m'avait attristé ?

C'était avant que j'avais besoin de ton soutien. De ta bienveillance. De ton estime.

Avant. Quand je t'avais demandé de faire une partie de poker. Au moment où je m'attendais à te voir passer la porte de la clinique pédiatrique. Ou lorsque je t'avais annoncé que j'étais nommé professeur invité à l'École polytechnique. Ou devant tes amis de la communauté juive. Ou encore avec le fabricant de tubes alimentaires...

J'essaie de comprendre. Est-ce la dureté de son enfance qui explique tant de sévérité ? À écouter ma mère, mon grand-père paternel était un coureur de jupons impénitent qui avait tâté de tous les métiers : commerçant en timbres-poste, marchand de sucre, agent des douanes... (Alors que j'écris ces lignes, je me dis que la collection de timbres dont s'occupait mon père avec tant de soin n'était pas là par hasard.) Il était encore enfant lorsque sa mère tomba malade. Il passait les après-midi chez les voisins, une famille grecque, les A. Il parlera grec. Tous ces détails figurent dans *Le Turquetto* et dans *L'enfant qui mesurait le monde*. J'ai mis dans mes romans autant de mon père que j'ai pu, de la même manière

135

que j'utilise son stylo-plume, son porte-clés et sa montre. Ma table de nuit est la petite table de son « fumoir ». Le fauteuil où je m'assieds pour lire est celui où il s'asseyait pour lire… et c'était aussi celui de Ronald Kandiotis, le personnage de *Juliette dans son bain*… Je m'égare. Il est présent à chaque instant de mon quotidien.

Il avait quatorze ans lorsque mourut sa mère. Son dernier souhait était de l'éloigner de son volage de père, décidément irresponsable. Il ira à Vienne, au 9 de la Fendistrasse, habiter avec sa sœur aînée, son mari, leur fils et un pensionnaire. Le logement consistait en une seule pièce séparée de nuit par une sorte de rideau posé sur une corde. Les fins de mois étaient dures, il fallait se priver. Mon père était apprenti de commerce dans une maison de transport maritime. Sa vie, son royaume, sa gloire, ce seront le parti socialiste et la lutte contre le nazisme. *Les livres, c'est autre chose…* Ces mots avaient leurs racines dans les valeurs d'une gauche déterminée à conquérir le droit à la culture. Il côtoiera

Brecht et les intellectuels. Ces années de Vienne, noires, affamées, ces années d'angoisse permanente étaient les plus belles de sa vie.

Tu le diras un jour devant moi à Jean Ziegler, qui reconnaîtra en toi un grand homme de gauche. Tu me parleras souvent de ta dette à l'égard du parti socialiste autrichien, des hommes que tu y rencontrais, « des lutteurs », disais-tu avec admiration. Des gens qui « travaillaient le fer ». C'était lui, ton père spirituel. Le parti. C'est là où tu puisais les forces et l'inspiration qui transformèrent le petit garçon de quatorze ans qui ne parlait pas un mot d'allemand à son arrivée à Vienne, en jeune homme vibrant, brillant et cultivé. « Les plus belles années de ma vie », disais-tu. Des années où je n'existais pas, soit. Mais des années dont tu étais fier. Qui marquaient ton attachement aux idéaux de la gauche. Plus tard, ce sera à l'aune de tes propres mots que ta position sur la question du Proche-Orient me paraîtra incompréhensible. Après m'avoir inculqué tes principes, tu les abandonnais.

Recherché par la police nazie, il devra fuir. Il retournera en Turquie où il fera son service militaire à l'école d'officiers d'Ankara. Il y enseignera l'allemand. Après sa démobilisation, il deviendra secrétaire. Non pas secrétaire général d'une institution mais secrétaire tout court, à la turque, *kâtip*, secrétaire pour la correspondance allemande auprès d'un homme d'affaires. Après un an ou deux, il demandera à ce dernier de le prendre comme associé. Le patron refusera. Mon père se mettra à son compte très jeune. Il enverra des lettres par centaines à des fabricants allemands et suisses de machines-outils, leur proposant de les représenter en Turquie. Plusieurs accepteront.

Ton intelligence, ton sens inné du commerce, ta maîtrise de l'allemand, ta discipline, surtout, séduiront tes interlocuteurs. L'un d'eux voudra rencontrer ton père, pensant que le jeune homme qu'il avait en face de lui ne faisait que représenter l'entreprise familiale.

En 1945, la famille s'installera à Istanbul, au Günesh. Porté par le succès, mon père se montrera ouvert, entrepreneur, audacieux. Il programmera la fabrication en Turquie des machines-outils qu'il importait jusqu'alors, projetant aussi la construction d'une usine de plastique.

Viendront les 6 et 7 septembre 1955, et tous ces plans tomberont à l'eau. Deux jours d'émeutes qui le frapperont en plein vol, au cours desquels des hordes de voyous – par dizaines de milliers, pilotés par le pouvoir en place – mettront à sac les commerces des Grecs, à cause de Chypre, mais aussi ceux des Juifs et des Arméniens, histoire de rappeler qui est le maître de ce pays. Deux jours infâmes dont les effets sur les affaires de mon père seront limités. Mais ce cadeau empoisonné le retiendra de choisir un exil radical. Ainsi débutera une période interminable durant laquelle il fera la navette, comme on disait, entre Istanbul et Lausanne. Ni tout à fait en Turquie, ni tout à fait en Suisse.

Sépharade germanophone, mon père alliait la chaleur orientale à la précision allemande. Il s'accrochera au Gemeindebund, à ces gens généreux, sincères dans leurs convictions sans l'ombre d'un doute, qui avaient tous subi l'antisémitisme, et qui marchaient au pas, à un rythme dicté par les gouvernements israéliens successifs, dans une logique d'adhésion aveugle : « Ceux qui ne sont pas avec nous sont contre nous. »

Ah, ces nouvelles organisations amies… C'étaient elles qui comptaient. Les organisations plus que les hommes. Leurs structures accueillaient mon père, le rassuraient, l'entouraient, le flattaient. Elles le protégeaient, lui donnaient une assise. Alors que par fidélité à ses idées, il aurait dû se dresser, incarner la conscience d'une communauté figée dans sa monoculture et prise en otage par des gouvernements engagés dans une politique de domination. Mais voilà, il y avait eu les 6 et 7 septembre.

Tu devins un autre homme. Mélancolique. Anxieux.

Il cherchait des juifs partout, cela le rassurait. Comme au restaurant américain de Bruxelles... « Celui-là, je te dis qu'il l'est. » « Et celui-ci ? » « À cent pour cent. » « D'où le sais-tu ? » « J'ai l'œil. Je ne me trompe jamais. »

Un soir que nous regardions à la télévision Dizzy Gillespie souffler dans sa trompette, les joues gonflées comme deux énormes courges, il avait dit : « Tu ne trouves pas qu'il a un petit air juif ? » Lui aussi...

Savoir que son interlocuteur était juif l'apaisait. Lui, si ouvert, se laissait enfermer dans le communautarisme le plus étroit.

Par bonheur, tu avais gardé le goût de la blague juive.

Je me souviens de sa préférée. Une blague juive sans juifs. J'ai dû l'écouter cent fois, toujours avec le même plaisir, tant sa joie à la partager me rassurait. Deux Allemands sont à Paris, peu après la guerre. Ils s'installent à une terrasse de café. Leur crainte est de passer pour allemands, bien sûr. Alors ils jouent aux Américains et prennent l'accent yankee : « Garçon, two Canada, please. » Le garçon leur demande : « Canada Dry ? » « Nein, répond l'un des Allemands, zwei. »

En voici une autre que j'aurais tant aimé lui raconter. Une femme d'un certain âge prend le métro, s'assied face à un homme et le fixe du regard. Une station passe, puis deux, puis trois. Au bout de la quatrième, l'homme lui demande : « Il y a un problème ? » La femme le regarde encore : « Est-ce que vous êtes juif ? » « Oui, dit l'homme, je suis juif. Et alors ? » La femme continue de le regarder quelques instants, puis fait : « C'est drôle. Vous n'en avez pas l'air. » (Je la dois à Sam Szafran, un peintre vraiment juif.)

Oui, nous avons beaucoup ri, aussi.

Quand avons-nous fait la paix ? Lorsque j'eus cinquante ans, je crois. Au dîner d'anniversaire, le carton du menu annonçait : « Pas de discours ». Je voulais éviter l'embarras des bilans de complaisance. Avant que nous ne passions à table, mon père s'était approché de moi : « J'ai préparé quelque chose de très court. » « Bien sûr. Ce sera toi et toi seul. » Il avait commencé son petit discours par une expression qui en avait étonné plus d'un : il ne me félicitait pas, il se félicitait de mes succès… C'était tout lui. Je l'avais pris avec tendresse. Les années étaient passées, désormais. Mais les derniers mots de son allocution étaient d'une autre trempe. Ils me sont restés inoubliables. Il me souhaitait…

… plein succès dans toutes les activités que tu entreprends et que tu continueras à entreprendre, et ceci dans un monde où hélas les luttes ne te seront pas épargnées. Tout en restant un homme droit, intègre, et surtout humble.

Droit, intègre, *et surtout humble.* Le flambeau qu'il me remettait, son testament moral, c'étaient ces mots. Humble, comme il savait l'être dans ses beaux jours, avant les événements de septembre 1955 et le départ larvé d'Istanbul, qui a duré un quart de siècle… Vingt-cinq ans au cours desquels il n'était ni ici ni là-bas. Vingt-cinq ans après lesquels est venu le Gemeindebund. Il l'a pris dans ses bras, le Gemeindebund, il l'a bercé, il l'a même anesthésié, et il s'est laissé faire, parce qu'il n'y avait pas d'autres bras. Ou parce qu'eux étaient là, et que d'autres, peut-être, se seraient refusés à lui.

Humble, comme il l'était avant d'être blessé en pleine ascension. Blessé mais pas foudroyé.

Ta trajectoire n'a pas été brisée. Elle n'a subi qu'une inflexion. Elle s'est transformée en trajectoire plate, qui ne correspondait plus à ton intelligence. À ton sens tactique. À ta capacité de synthèse. À ton coup d'œil. Mais elle est restée honorable. Confortable. Et ce confort t'a englouti.

Peut-être aurait-il fallu qu'il prenne d'autres décisions. Qu'il bâtisse en Turquie, malgré les risques. Ou alors qu'il lâche tout et recommence en Europe. Il n'avait que quarante-trois ans… C'est facile à dire, je le sais, et je ne peux que m'incliner devant ses choix, sans doute empreints de sagesse. Mais ils ne l'ont pas rendu heureux. Ils n'ont pas rendu justice à son intelligence. Ils l'ont piégé.

Tu étais bien trop lucide pour ne pas en tirer un constat sans appel. Ta lucidité t'a plongé dans l'amertume, et tes idéaux d'homme de gauche ont fait les frais de cette immense déception.

Et surtout humble…

La question de l'humilité l'obsédait et il me la renvoyait, comme un rappel nostalgique de ce qu'il aurait été, si sa trajectoire n'avait pas été interrompue.

Ou si elle s'était poursuivie là où elle avait débuté, à Vienne, aux Jeunesses socialistes.

S'il n'était pas rentré en Turquie. S'il n'avait pas connu ma mère. S'il ne m'avait pas eu comme fils… sa trajectoire aurait été celle d'un grand homme politique. On disait qu'il ressemblait étrangement à Ben Gourion. C'était vrai, par sa conception d'un socialisme humaniste et exigeant, par son physique, aussi, cet air têtu qui dégageait une solidité, une résistance. Par sa capacité oratoire exceptionnelle. Par son talent d'aller à l'essentiel en un mot, en une image. Par son habilité à convaincre, à emporter, à enthousiasmer… Par sa capacité, enfin, à toujours garder une juste distance avec ceux qui l'entouraient.

Et surtout humble… Là, il l'aurait été à tous les coups.

Pour ce qui me concerne, ce sera à mes enfants de décider, quand viendra le temps. À eux et à leurs enfants. Je doute que ce soit ces mots qu'ils choisissent pour me caractériser. Je les imagine plutôt disant, dans la meilleure des hypothèses, en éclatant de rire :

« Grand-père ? Il était marrant. Mais pour ce qui est de l'humilité, ce n'était pas son fort. »

Et surtout humble…

Deux ans plus tard, très exactement deux ans et quatre jours plus tard, mon père mourut.

J'ai fait graver ces trois mots sur le marbre blanc de ta tombe, précédés de trois points de suspension, laissant entendre qu'il y avait autre chose, sans doute du même ordre, que ces mots recouvraient de leur importance :

… et surtout humble.

30 juillet 2016, 13 h 30

Au bar de l'hôtel du Rhône

Je me souviens de l'instant précis où je compris que mon père allait mourir. Il était à l'hôpital et je venais lui rendre visite le matin après être passé relever son courrier et les journaux, et à nouveau en fin d'après-midi. Un jour, je constatai qu'il n'avait pas ouvert la *Neue Zürcher Zeitung*, le quotidien zurichois qui le suivait depuis un demi-siècle, où qu'il aille. Combien de fois Gül et moi n'avions-nous entendu ces mots : « Tu sais, avec la *NZZ*, je suis au courant de tout, leurs journalistes sont formidables. » Nous souriions. Mais il est indiscutable que mon père était toujours très bien informé. Lorsqu'il lisait un article, il y mettait toute son attention.

Ce jour-là à l'hôpital, je pointai du doigt la *NZZ*, intacte dans son bandeau, et l'interrogeai du regard. Il me dit : « Je suis fatigué. » Et je compris.

Remplacer une valve aortique, c'est une opération de la dernière chance. « Il avait un tout petit cœur, votre papa », me dira des années plus tard la doctoresse qui l'a opéré (j'avais été la consulter lorsque j'écrivais *Juliette dans son bain*, dont le héros, Kandiotis, un peu mon père, un peu moi, meurt d'une valve aortique déficiente dont il a volontairement différé le remplacement).

Le roman t'est dédié.

Dans la salle d'attente de l'hôpital, il y avait, accrochée au mur, la reproduction d'un Bonnard. On y voyait un champ de coquelicots. J'avais ressenti un choc en le découvrant. Mon père allait mourir et le destin me disait que c'était le souvenir que je devais garder de nous, moi perché sur ses épaules dans le champ de coquelicots.

Pendant les longues heures que dura l'opération, je restai le regard sur le tableau. Et lorsqu'on nous annonça que c'était fini, cela ne provoqua en moi aucune surprise. J'attendais la nouvelle.

La veille de son enterrement, Gül m'avait suggéré d'aller me recueillir seul devant son cercueil, déposé au petit consistoire du cimetière de Veyrier. « C'est important que tu prennes congé. » Elle avait eu raison.

Ce long moment que j'ai passé devant toi m'a aidé à vivre les jours à venir. Devant ton cercueil, j'ai beaucoup pleuré et je t'ai remercié. « Pour tout. »

Le lendemain, durant la cérémonie, le rabbin évoqua l'activité professionnelle de mon père. Il avait équipé la Turquie entière en balances analytiques, des instruments très précis utilisés par les vendeurs de pièces d'or, au Bazar d'Istanbul, dans les pharmacies ou les industries chimiques. Les balances Mettler pour lesquelles il se rendait à Flims. Le rabbin faisait le lien entre la justesse des balances analytiques et son caractère mesuré. La Bible, disait-il, nous propose un épisode, celui « des poids », qui raconte ceci. Lorsqu'un commerçant utilise des poids inexacts et remet à son client une marchandise en quantité inférieure à celle payée, il est punissable. Rien de surprenant à cela, m'étais-je dit en l'écoutant. Or, poursuivit le rabbin, citant le Midrash, le livre d'interprétation de la Bible, il se peut que le commerçant, sachant que ses poids sont inexacts, remette à ses clients plus de marchandises que ce à quoi ils ont droit, dans le souci de ne pas les léser. Dans ce cas, concluait le rabbin, le commerçant sera également coupable. Sur le moment, sa conclusion me parut absurde. Mais l'heure n'était pas à ces considérations et je ne m'occupai plus du problème des balances, sans doute durant plusieurs semaines. Lorsque enfin j'y pensai à nouveau, la sagesse du Midrash me frappa. L'important est d'être juste en toutes circonstances, même lorsque l'excès semble licite ou généreux. Il faut se tenir à une juste distance des gens et des choses si l'on souhaite en percevoir tous les aspects avec lucidité.

Aux yeux du rabbin, tu incarnais l'homme juste.

Je relis un texte écrit cinq ans plus tard, où je raconte la manière dont se passaient nos séparations à l'internat, lorsque je savais – et lui aussi – que nous n'allions pas nous revoir durant de longs mois. Il passait la main sur mes cheveux, pour que ma tête soit couverte, comme l'exige la Loi juive lorsqu'on prie, et prononçait alors le *Shéma Israël*, très vite, peut-être pour que je ne m'en rende pas compte. J'écrivais alors qu'il était, dans ce geste, « gauche et touchant ». Je le défendais. Aujourd'hui, je m'interroge.

Que se serait-il passé si à cet instant j'avais ressenti que sa peine de ne pas me voir pendant si longtemps était immense ? Si immense qu'il n'arrivait pas à la contenir ? Comment aurais-je réagi s'il m'avait pris dans ses bras, serré contre lui, embrassé cent fois sur la tête, le front, les joues et le bout du nez pour rire malgré tout au milieu de tant de tristesse ? N'était-il pas « froid et distant » plutôt que « gauche et touchant » ? Suis-je ingrat en disant cela ?

Le rabbin avait raison et le Midrash aussi. Il faut savoir rester à juste distance. Tu y réussissais avec tes amis. Pas avec ces institutions qui t'avaient phagocyté, là où tout le monde est d'accord avec tout le monde, et on se quitte chaque fois heureux et certain d'être dans le vrai. Pas de débat, surtout ! Pas d'affrontement ! Pas de vagues ! On se met en rang par deux et on se demande ce qu'on peut encore dire pour justifier l'injustifiable, en attendant que les dirigeants d'Israël nous gratifient d'une bonne note. Une gentille note.

Chaque Juif a une dette envers Israël, je le sais. Le pays a fait des miracles. Je le sais. Il est entouré d'ennemis. Je le sais. Il compte des citoyens courageux, lucides, formidables. Je le sais. J'en connais beaucoup. Mais pourquoi tant de gens votent-ils comme ils le font ? Et nous, ceux de la diaspora, n'avons-nous qu'un seul rôle dans cette histoire, celui de faire la claque ? En toutes circonstances ? Même lorsque les valeurs fondamentales du judaïsme sont bafouées ? Même lorsqu'on assiste à des scènes où l'on ne peut s'empêcher de penser : « Mais nous, oui, nous, les Juifs, avons-nous oublié les douleurs de l'exil ? La détresse d'être traité en moins que rien ? »

Tu as balayé tout cela, dans le seul, le médiocre et complaisant espoir d'être reconnu, admiré et fêté par des gens dont tu aurais pu obtenir le respect en t'opposant à eux. Il aurait fallu avoir le courage de risquer la rupture.

En contradiction totale avec cela, tu m'as donné des leçons de sagesse inoubliables. Leben und leben lassen, *me disais-tu comme le principe selon lequel tu avais conduit tes affaires. Vivre et laisser vivre. Tu étais d'une sagesse lafontainienne. L'apologue de la fable du héron ne dit rien d'autre lorsqu'il conclut par ces mots : « Les plus accommodants, ce sont les plus habiles. » Fais gagner les autres et tu verras qu'ils voudront travailler avec toi, encore et encore.* Jedem Tierchen, sein Pläsierchen. *À chaque petit animal son petit plaisir. À chacun ses petites manies, ses petits travers. Ce qui pourrait t'irriter chez les autres, me disais-tu, regarde-le avec humanité. Avec bonté. Tu n'en seras que plus heureux. Et puis encore ce que tu as écrit dans mon carnet de souvenirs, sur le travail, un texte lumineux. Sans oublier le* surtout humble, *extraordinaire de sagesse, lui aussi.*

Pour toutes ces pensées qui illustraient ta force et qui continuent de sous-tendre ma vie, j'ai à ton égard une dette infinie.

30 juillet 2016, 18 h 30

À ma table de travail

Je crois qu'enfin je vois mon père comme il était. Un homme d'une immense sagesse. Travailleur. Grand stratège. Mais aussi faible et lâche. Habile et manipulateur.

Te souviens-tu de la soirée où je t'avais remis mon travail de diplôme ?

Je le lui avais offert, emballé comme un cadeau. Il en avait lu les premières lignes et m'avait souri, l'air interrogatif. Je lui avais expliqué en deux mots que ma recherche consistait à étudier ce qui n'existait pas. J'avais fait vibrer des lamelles d'or pur dans le but de créer des défauts. Sous les tensions subies par les lamelles, leur structure atomique se modifiait. Çà et là apparaissaient des « lacunes », c'est ainsi qu'on appelle un défaut ponctuel, là où avant, lorsque tout allait bien, se trouvait un atome, et que soudain il n'y a plus rien. Une sorte de trou.

Alors que je conclus ce texte, je comprends qu'un fils doit se réjouir de ces lacunes paternelles. Il doit en faire son miel. Embrasser son père sur les deux mains pour lui dire combien il lui est redevable de ses faiblesses. C'est sur elles qu'il construira sa vie.

Jamais je n'aurais développé mes activités au Proche-Orient, qui comptent tant pour moi, jamais je ne me serais lancé dans ce combat sans fin qui consiste à vouloir que chacun ait droit à la dignité, jamais je n'aurais trouvé dans ces enjeux une justification essentielle à l'existence, s'il l'avait fait avant moi. S'il ne m'avait pas fait le cadeau de s'opposer à moi. S'il n'avait pas montré combien toute vraie lutte est solitaire en me laissant tomber devant ses amis à la synagogue. S'il ne m'avait pas aidé à construire la rage nécessaire à poursuivre ce combat. Jamais, aussi, je n'aurais écrit, si je n'avais pas entendu ces mots merveilleux : les livres, c'est autre chose.

Je m'interroge. Et moi, dans ma relation à mes deux filles ? Ai-je été un bon père ? Je ne sais pas. Que j'aie été, très souvent, un père imparfait, c'est une certitude. Je n'ai eu de cesse de leur montrer l'immense amour que j'éprouvais pour elles, bien sûr, mais les ai-je pour autant aimées comme il le fallait ? Pour elles et pas en égoïste ? Les ai-je estimées comme j'aurais dû le faire ? Comme elles le méritaient ? À nouveau, je ne sais pas. J'ai toujours craint d'être un père jaloux, un Oriental qui veut tout contrôler. Pourtant, une émotion précise me pousse à croire que je n'ai pas totalement raté mon coup. Lorsque chacune de mes deux filles m'a annoncé qu'elle avait connu l'amour pour la première fois, j'en ai ressenti un grand bonheur. J'étais infiniment heureux pour elles, mais aussi rassuré quant à ma propre affection. Elle était la preuve que je les aimais vraiment.

Aurais-je pu changer quelque chose de ma vie si le rapport avec mon père avait été différent ? Semblable à celui de l'homme et de sa petite fille dans le champ de coquelicots ? J'aurais pu en ressortir plus équilibré. Ne pas être sans cesse dans l'angoisse. Ne pas avoir honte de mes émotions. Cela m'aurait rendu moins solitaire, moins irritable. Plus sympathique. Mes relations à autrui auraient été moins heurtées.

Je cherchais la douceur dans les bras des filles. Mademoiselle Meyer, mon professeur de français, se moquait de moi, disait que j'étais un petit Don Juan, que j'avais un cœur d'artichaut, que je distribuais une feuille ici et une là. Ce n'était pas faux. J'avais beau n'être qu'un enfant, je n'avais pas trop de bras dans lesquels chercher la consolation. Mais Don Juan n'était jamais amoureux et je l'étais tout le temps.

En retournant les os de mon père, ce sont les miens que je retourne.

30 juillet 2016, 20 h 15

Au bar de l'hôtel du Rhône

J'ai commandé un coca. Le garçon me l'a servi, accompagné d'un bol de noisettes, de quoi patienter en attendant le sandwich. Je mets une noisette en bouche. Puis une autre, et une autre encore. Et voilà que je repense à l'histoire des noisettes, que mon père adorait me raconter…

Un homme se rend chez son père et lui dit : « Papa, tu as tout fait pour moi, et grâce à toi j'ai réussi dans la vie. Comment t'exprimer ma gratitude ? » « Prends-moi sur tes épaules », dit le père. Son fils s'exécute : « Et maintenant ? » Le père lui demande d'aller « là où on vend des noisettes ». Arrivés devant un vendeur, le père demande à son fils : « Achète-moi un sachet. » Le fils l'achète et le tend à son père, toujours juché sur ses épaules. Le père saisit le sachet, l'ouvre et le retourne. Toutes les noisettes s'éparpillent au sol. « Maintenant, ramasse-les », dit le père. « Ce n'est pas la peine, fait le fils, je t'achète un autre sachet. » « Non », dit le père. « Ce sont ces noisettes que je veux. Celles-là et pas d'autres. » Et il ajoute : « Parce que mon travail de père a consisté à cela. À ramasser les noisettes à terre. Pour toi. Ma vie durant. »

Mon père me racontait l'histoire en riant. Il la faisait passer pour drôle alors qu'en réalité, elle est d'une cruauté sans nom. Que devait comprendre le fils, si ce n'est qu'il était cuit ? Fichu d'avance ? Qu'il ne pourrait jamais rendre à son père ce qu'il avait reçu de lui, quoi qu'il fasse ? J'étais ce fils, soudain conscient de l'ampleur de sa dette, comprenant qu'il ne pourrait jamais s'en acquitter. Qu'il serait pour toujours un débiteur défaillant dont le lot était de se sentir coupable jusqu'à la fin de ses jours.

Sous l'astucieuse rondeur de la fable se cachait toute sa cruauté.

Elle te donnait bonne conscience, cette histoire : quelle amusante idée, de rappeler au fils l'immensité de sa dette en faisant passer cette sentence pour drôle ! De quoi bien rigoler… « *Te voici face à ta réalité, mon garçon : tu ne pourras jamais me rembourser ! Tu n'auras peut-être pas à craindre qu'on te saisisse ta maison, ta voiture ou ta machine à laver. Mais chaque fois que tu penseras à ce que t'a donné ton père, tu te verras pour ce que tu es : un ingrat. Mais j'en ris, tu vois, je ne t'en veux presque pas. Mon seul souhait est de te rappeler que tu es fait comme un rat.* »

Comme tu l'aimais, cette fable dont la bonhomie te faisait passer pour bonasse alors que tu étais féroce. T'en rendais-tu compte ? Sans doute que oui. Tu étais trop intelligent pour ne pas en être conscient. Trop malin. Trop rusé.

D'autres questions surgissent. En as-tu ramassé tant que ça, des noisettes ? Pour moi ? En ployant sous le poids de quelqu'un ? Je te voyais dix jours par année. Quand les ramassais-tu ? Et où ? En cachette ? Éduquer un fils, est-ce une corvée ? Faire des affaires pour payer mon écolage, voyager, dîner avec des clients ou des fournisseurs, avoir du succès, est-ce ramasser des noisettes ? Vraiment ? Suis-je ingrat en disant cela ? Peut-être. Mais ton travail te rendait très heureux. Tu l'adorais. Où était le sacrifice ?

Avant d'entreprendre ton retournement, cette histoire de noisettes me blessait. Désormais, elle m'attendrit. Je te vois mieux.

Et je t'aime mieux ainsi. Le cœur léger. Tel que tu es. Astucieux. Un brin roublard. Un homme qui place ses pions en souriant. Avec une fausse douceur. Son histoire de noisettes visait à m'embobiner, je le sais. À me faire comprendre que j'étais ton obligé. Que je le resterais pour toujours. Je l'accepte. Je suis ton fils. Je te ressemble. Tout de toi m'a aidé dans la vie. Même les parties de tennis imaginaires…

Et puis, comment oublier les coquelicots ? Tu m'avais bel et bien pris sur tes épaules ce jour-là, comme le fils porte son père dans l'histoire des noisettes, pour comprendre quelle est sa dette. Peut-être qu'elle est juste, après tout, cette histoire contre laquelle je me suis tant révolté.

Voilà, mon cher papa. Je resterai ton débiteur, pour ta ruse autant que pour ta sagesse. Le temps est venu de le comprendre, enfin.

Car, il y a un temps pour tout, n'est-ce pas ?.

Un temps pour venir au monde, grandir, apprendre à marcher. Un temps pour jubiler, lorsque tu m'appelles Aslan Metin. Metin le lion…

Un temps pour boire tes paroles. Un temps pour être caressé par tes paroles.

165

Mon père sur mes épaules

Un temps pour être éloigné de la maison. Pour me persuader qu'être placé à sept ans en internat, c'est pour mon bien.

Un temps pour t'aimer plus que tu ne pourrais l'imaginer. Pour t'admirer. Te vénérer.

Un temps pour être désemparé. Pour chercher ton regard et comprendre qu'il me fuit.

Un temps pour me sentir méprisé.

Un temps pour me sentir de trop.

Un temps pour perdre confiance en moi.

Un temps pour t'en vouloir infiniment. Un temps pour te haïr.

Un temps pour te voir vieillir. Pour comprendre que tu vas mourir.

Un temps pour te pleurer et t'enterrer. Pour ranger tes affaires, vider ton bureau. Un temps pour revivre les souvenirs.

Un temps pour te pleurer encore.

Un temps pour te retrouver dans mes rêves et constater avec une joie immense qu'enfin tu me parles avec estime, et même avec douceur.

Un temps pour croire qu'entre nous la paix est venue.

Un temps pour te dire combien je t'ai aimé et admiré, combien j'ai attendu ton estime. Et combien tu m'as déçu.

Un temps pour te défaire de ton linceul.

Un temps pour nettoyer tes os et apprendre qui tu étais vraiment.

Un temps pour écouter à nouveau ton histoire de noisettes, éclater de rire et te dire : papa, tu ne crois pas que tu exagères ?

Mon père sur mes épaules

Un temps pour remettre tes os à leur place, après les avoir regardés les yeux grand ouverts, et nettoyés, aussi bien que j'ai pu.

Un temps pour te dire que tu étais un père imparfait mais si délicieux.

Et un temps, enfin, pour t'embrasser tendrement, mon papa tant aimé.

Maintenant tout est calme. Tu es devenu Ancêtre. Et je te demande de me bénir.

Composition réalisée par Belle Page

Cet ouvrage a été imprimé
par la Nouvelle Imprimerie Laballery
pour le compte des éditions Grasset
en avril 2017

Grasset s'engage pour
l'environnement en réduisant
l'empreinte carbone de ses livres.
Celle de cet exemplaire est de :

750 g éq. CO₂

Rendez-vous sur
www.grasset-durable.fr

PAPIER À BASE DE
FIBRES CERTIFIÉES

Dépôt légal : avril 2017
N° d'édition : 19881 – N° d'impression : 702351
Imprimé en France